일

년에

한

번만

보고

삽니다

일 년에 한 번만 보고 삽니다

발 행 | 2024년 6월 20일
저 자 | 조성희, 최정임
기 획 | 인천광역시교육청중앙도서관
펴낸이 | 한건희
펴낸곳 | 주식회사 부크크
출판사등록 | 2014.07.15.(제2014-16호)
주 소 | 서울특별시 금천구 가산디지털1로 119 SK트윈타워 A동 305호
전 화 | 1670-8316
이메일 | info@bookk.co.kr

ISBN | 979-11-410-9068-5
본 책은 인천광역시교육청중앙도서관의
2024년 읽·걷·쓰 사업의 일환으로 제작된 도서입니다.
www.bookk.co.kr

일 년에 한 번만 보고 싶습니다

조성희·최정임

목 차

목 차

1부 - 시(詩)

마주하고 싶은 순간이 올 때면

시간에 기대어

조성희

시간이 흐릅니다.
지금 이 순간이 촘촘히 곁을 지나고 있습니다.
손을 뻗어 허공을 스치면 손가락 사이로 감기듯이 머무는가 싶더니 이내 연기처럼 사라집니다. 슬며시 가 버립니다. 붙잡을 수도 없지만 놓치고 싶지도 않아요.

오늘도 웃고 이야기하고 사랑했습니다.
누군가를 위해서 기도하다가도 또 다른 누군가가 미울 때도 있습니다.
귀 기울여 듣지만 이해하기 어려울 때가 많습니다.
요즘 자주 눈이 아픕니다. 시간의 한계를 아는 마음에 많은 것을 주워 담으려는 욕심에서요.
아름다운 것을 담고 싶지만 꼭 그렇지만은 않습니다.

길을 걷다가 산수화랑 목련꽃을 보았습니다.
콘크리트 건물 사이에서 참 예쁘게 피었습니다.
봄이네요. 따뜻한 바람이 느껴집니다.

쉼 없이 달려온 열정으로 가득 찼다고 생각했는데
허울 좋은 자기위안이지도 모르겠습니다.

바람을 타고 꽃잎이 나풀나풀 춤을 춥니다
앞으로의 시간에 기대어 가볍게 유영하네요
빛 속에서 순간이 순간으로 이어집니다.
그 안에 저도 살아 있습니다.

<시간에 기대어>　그림·조성희

물1

조성희

바다는 사막이다
물을 찾아 갈증을 느낀다
오아시스는 없고 노란 부표는 무정하다

태양은 뜨겁고 하늘은 붉다
등 아래 느껴지는 부드러운 힘
순간 강력하게 끌어당기는 힘
허공으로 가지 않게 붙드는 힘
치열하게 생명을 놓지 않는 힘
물의 힘

시작은 영원으로
마침은 찰나로
빛나는 마음의 정표
사랑은 닻을 내리고

심해 속 아래로
바다는 무해하다

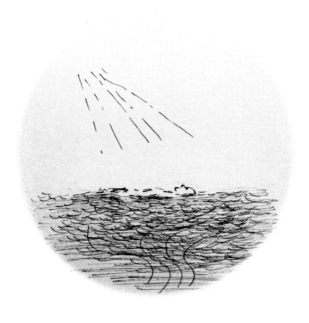

＜물1＞　　　그림·조성희

물2

조성희

흩어진 호흡을 하나로 모으고
반듯이 누워 하늘을 보다 구름 한 점
두 점에 숨 한번 고르고
시간의 빛을 끌고 잠수하기 전

심해 100미터를 한 호흡에 내려간
그 사람을 생각한다
중력과 부력이 싸우는 틈 사이로
일직선으로 가볍게 아래로 아래로
호흡의 끝을 가늠하고
닿을 수 있는 곳까지
극한의 빛나는 점으로 유영한다

한 호흡만 더 한 호흡만 더
온몸에 느끼는 압박감은
혼미한 아름다움
마지막 숨으로 한 호흡에
생은 다시 시작 된다

무구한 바다는 무심하고
다만 그 자리에 있을 뿐

<묾2>　　　그림·조성희

아버지의 손

조성희

아버지, 이제 점점 노쇠한 모습을 보이시네요.
젊어서는 누구보다 청결을 우선시 하고 까다로우셨던
분이 요즘은 씻는 것도 귀찮으신가 봐요. 옆에서 어머
니 잔소리도 아랑곳하지 않으시는 걸 보면요. 저 어릴
때는 무섭고 엄한 모습만 보이시더니 그 성질은 다 어
디로 사라지고 지금은 무디고 연약해서 딴 사람 같습
니다.

 쩌렁쩌렁한 목소리로 아침 일찍부터 "모두 기상!"으로
잠 많은 아이들을 깨우셨잖아요. 그 때엔 그런 아버지
가 원망스러웠어요.

성큼성큼 군인처럼 걷던 발걸음도 세월 따라 가버렸네
요. 힘없는 울림이 가까이 가서야 느껴집니다.

 귀가 어두워져 이야기 소리가 잘 들리지 않음에도 이
해했다는 표정은 애써 감추시는 거죠. 약해짐을요.

탱탱한 피부도, 최무룡 같은 미모도 사진으로만 남아있
네요. 어릴 적에는 무서운 아버지 손 한번을 못 잡아
봤는데, 며칠 전 제가 아버지 손 잡아드린 적 있잖아
요. 모처럼 아내와 두 딸과의 여행길에서요. 식당가는
길에 느린 발걸음 부축한다고 제가 손잡아 드렸죠.

그때 잡아본 손이 어쩌면 그렇게 포근하고 부드러웠는
지, 깜짝 놀랐어요. 아기 손을 잡은 줄 알고요.

그 손이 너무 따뜻해서 순간 눈물이 나왔습니다.

낯선 곳에서 여기저기 볼거리에 마음을 빼앗긴 어린
아이처럼 해맑게 웃던 아버지, 우리 또 같이 가요. 여
행도 가고 맛있는 음식도 많이 드시고요.

제 손도 많이 잡아주세요.

〈아버지의 손〉   그림·조성희

빈자리

최정임

다시 기다립니다
가실 때 입었던 때때옷이
아니어도 좋습니다
오실 때는 다시 그 자리에만
있어 주길 바랄 테지요
떠나고 나서야 알 수 있는 빈자리
그때는 몰랐다고 답하기엔
이 연정을 차마 감출 수가 없습니다
어느 무대에서
또박또박 들려오던 목소리였던가요
그 떨림이었던가요
무대가 끝난 뒤 여운을 참지 못해
이불 속에 얼굴을 묻고
펑펑 눈물 흘리던 날
그대가 몹시도 그리웠습니다
안개비 촉촉한 오늘,
내 어깨에 그대가 내려앉는 것만 같습니다

라디오방송 녹화하는 날
빈 의자 하나 그 자리에 있습니다.

빈자리 하나 그 자리에 있습니다

11월의 꽃바구니

최정임

거의 다 떠갈 무렵
틀린 구석이 발견됐습니다
푸를까 말까 망설여집니다

아직 시간이 있으니
풀어봐야겠지요
바닥까지 내려가고
한 줄을 더 풀고 나서야
틀린 구석이 나타납니다

졸린 눈을 흔들어 정신을 깨우고
구부정한 허리를 쭉 폅니다

양말목 바구니를 완성하고
하나둘 떠 놓은 동백꽃을 담으니
꽃바구니가 되었습니다

누굴 줄까 그리운 얼굴 그려봅니다.

양말목 공예를 배우고 나누며

연잎밥

최정임

연잎보 펼쳐놓고
기다리는 사람 있습니다
추석에나 볼 수 있는 고향 친구
아침부터 목이 빠집니다
시계가 너무 느리게 갑니다
연잎보 위에
호박꽃 두 개 연잎밥 두 개
귀가 너무 밝아져 멀리서
두 바퀴로 달려오는
소리까지 들립니다
친구 덕분에
밥과 김치로만 먹었던 밥상이
품위를 찾았습니다
연잎밥처럼 찰지고 마음을 살찌울 친구
마주 보고 있으면 든든한 친구

그렇게 소중하기에 우리는
일 년에 한 번만 보고 삽니다.

세종 친정 식탁에서 친구를 기다리며

학산

최정임

버들가지 넘실거리는 하늘을 타고 올라가면
목화송이 같은 면화구름을 이불 삼아
양쪽 날개를 펼쳐 마을을 내려다보는 산
할아버지, 할머니, 아버지, 작은아버지
그리고 큰오라버니가 계신 곳
어머니가 밭둑에 앉아 쑥을 뜯으며
여리고 하얀 봄맞이꽃을 보고는
눌러 쓴 모자 사이로 먼 산을 바라보다가
연못의 수선화, 꽃창포, 민들레를 지나
산수유, 산벚꽃, 진달래를 따라가면 나오는 곳
어느 가을날에는 코스모스 들길을 따라 이어지는
그 산에 가 있으려나
우리는 모두 한곳을 향해 가고 있는데
그 길이 너무 멀고 험난하구나
하늘 아래 첫 동네에 날갯짓하는 계곡의 바람이
연못을 실어 한강에 옮겨 갔으면.

-병실에서 동생을 기다리며

세종 중방마을의 연못에 핀 수선화

후리지아가 질 때

최정임

아직 피는 꽃이 있는데
지는 꽃이 많다 하여
물을 주지 않을 수 없었다

그 일을 해야만 했고
그 일을 해낼 수 있었던 이유는
이제 피어나는 너였기 때문이다.

마지막 남은 생명까지 챙기고 싶은 마음

새싹을 바라보며

최정임

씨를 함부로 심는 게 아닌가 보다
싹이 날 때는 정말 예뻤는데
넝쿨식물이란 걸 생각 못 했다.
베란다에서 잘 키울 수
있을지도 모르겠고
단호박 씨라 호박이라도 매달리면
좋아해야 할지 감당하기 어렵다
어릴 적 아버지가 심었던 단호박을
맛있게도 쪄 먹었는데 그리움을
심듯 심어본 씨앗에서 새싹이 나왔다
상추 모종도 너무 많이 사 왔나 보다
지금은 자리가 넉넉해도
며칠만 지나도 좁다고 난리 치겠다
갑자기 "싹부터 자르라"라는 말이 떠오른다
무지막지한데…. 책임 못 질 거면
씨를 심지 말아야 했나?
수선화 다섯 개를 분양했다

가족 수보다 한 개 더 만들어
"누구 주고 싶은 사람 주세요."
했지만 내 마음은 고향 연못에 가 있다
책임과 간격을 생각할 줄 알았다면
함부로 씨를 심지도, 품지도 않았을 텐데
안방에서 베란다 너머 바깥세상을 보기 전에
그의 눈길이 새싹을 지나가길
그리하여 마음의 평화를 얻기를.

베란다에 심은 새싹을 바라보며

방충망 사이에 너 있다

최정임

오늘은 달을 보며 자고 싶었는데
성가신 방충망이 안개처럼 뿌옇다
어쩔 수 없다 포기할까 하다가
방충망 가까이 카메라를 들이대니
달님을 잡아준다

도구의 힘을 입어 당기고 당겨
아주 먼 거리의 달님을
현미경으로 보듯 여행하며
오직 너 하나만 생각했다.

- 병실 창가에서-

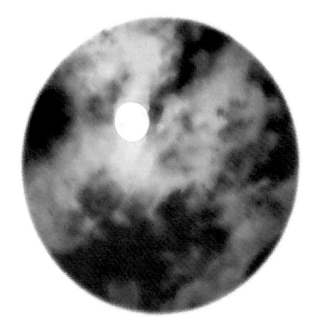

병원 창가에서 달을 보며

안개

최정임

지리산 골짜기에 짙게 밀려오면
사방을 둘러보지 마라
제자리 가만히 앉아
오직 내 안에서 여행하자
한 치 앞을 볼 수 없을 때가
나를 볼 기회다

서서히 걷히는 순간에는
원추리 노란 꽃이 또렷하다.

안개 자욱한 중방마을 골짜기

고무장갑

최정임

온종일 물 묻히고
쉴 틈 없구나

빛 좋은 오후
잠시라도 물기 말리고
쉬어가라 하시며
가지런히 널어놓은 고무장갑

어머니도 잠시 쉬어가세요.

친정어머니가 일을 마치고 걸어 놓은 고무장갑

민들레의 여행

최정임

어디로 갈거나
낙하산 모양을 하고
내려앉을 듯 다시 날아가고
사뿐사뿐 바람에 몸을 싣는다

꽃씨 따라 그렁한 눈망울
아주 멀리 더 멀리 흘려보낸다

아주 가라 돌아오지 마라
편안한 곳으로 시집보내고
그리움에 목덜미 치켜
빼꼼히 산고개를 넘는다.

인수마을 쉼터 꽃밭에서

설빔

최정임

네 맘에 들어 샀다니
엄마 맘에도 든다
그런데 지금 있는 옷도
다 못 입고 죽을 것 같다

네가 입어주면 안 되겠니?

핑크빛 모자와 스웨터가 맘에 든다고

동백이 지고나면

최정임

전에 살던 마을엔
동백꽃이 피었을 게다
붉음을 뚝, 뚝,
한 번에 떨구어
바닥에 깔아주고
내 발길을 재촉할 것이다
떨군 것도 모자라
즈려 밟으라니
어찌 견딜 수 있었을까

나도 아프다
차마 말 못 하는 것은
꽃길을 내어준
그 세월을 알기 때문이다.

전에 살던 마을의 춘백

가을은 사진

최정임

나: "엄마 사진 배우러 갔다 올게."
작은아이: "엄마, 사진을 왜 배워. 느끼는 거지."
큰아이: "엄마, 사람이든 자연이든 있는 그대로 보는
게 가장 아름다워요.

그림 같은 사진, 사진 같은 그림,
어떤 것이 먼저일까
그림은 그리워하는 것을 그리는 것이고
사진은 빛으로 그린 그림이라는데
사진인지 그림인지 알 수 없을 때가 많다

다만,
눈으로 보고 싶은 것에 대한
그리움을 그린다
그리움을 찍는다
가을은 찍으면 다 사진이고 그림이다.

-내 뒷모습이 찍힌 어느 날

내 뒷모습을 보았다

단풍의 수다

최정임

작은 바람에도
파르르 떨며
온갖 수다 내놓더니

더 열이 받았는지
붉으락푸르락
얼굴 붉히며 화딱지를
뿜뿜 뿜어낸다

제 화를 못 이겨
우수수 꼭지를 떨구면
떨어지는 족족 쓸어 담는
여인의 가슴은

낙엽이 다 지고 나면
하얀 눈이 온 세상을 덮을 거라는 걸
아는 까닭에 잠잠할 수밖에.

낙엽이 떨어지는 족족 쓸고 계신다

6월이 지나 9월이 오면

최정임

봄인가 싶더니
여름 같고
여름인가 싶더니
가을이다

6을 왼쪽으로 돌리면
9가 되고
9를 왼쪽으로 돌리면
6이 된다

늦봄 같은 초여름
늦여름 같은 초가을

큰아이 생일은 6월 17일
작은아이 생일은 9월 17일

6월이 지나 9월이 오면.

인천문화예술회관에서 무엇을 읽고 있는고?

손에 로션을 바르며

최정임

늘어감을 감추고 싶을 때가 종종 있다.
아무 일도 이룬 것 없이 나이만 먹었구나 할 때다.
가끔 희끗희끗한 머리를 그대로 하고
방송에 나오는 사람들이 부럽다.
얼굴은 화장으로 위장할 수 있다지만 목의
주름과 거친 손은 감출 수가 없다.
찌든 현실을 감추고 싶어 그동안 안 입던 옷과
안 하던 화장을 해본다.
딱히 어딜 가고 싶지는 않지만
가야 할 곳은 가야 하기 때문이다.
버스 정거장에서 무심결에 손을 점검하는데,
급히 머리 염색을 하느라 손톱에 낀
까만 물이 거슬리고
잔잔히 밀려드는 파도 모양 같은 손등의 주름이
세월을 알게 한다.
가방을 샅샅이 뒤져 로션을 찾아내고
밀도 있게 발라본다.
오늘은 내 모습이 편해 보여야 만나는 사람들이
불편하지 않을 텐데….

염색을 하지 않고도 화장을 하지 않고도
손에 로션을 바르지 않고도 당당할 수 있는 나라면.
손끝이 갈라졌다.
쓰라려 올 때마다 친정어머니의 갈라진
손끝이 생각난다.

지난 세월을 원망하지도 후회하지도 않는 삶이기를.
내미는 내 손이 온기로 가득하기를.

피부과에서

최정임

맨손으로
설거지하지 마세요
물을 만지면
로션을 꼭 바르세요

손 세정제가
손을 건조하게 합니다
로션도 꼭 바르세요
손을 아끼세요

돈을 내고 듣는 말이지만
너무나도 고맙게 느껴진다

9월이 오면
내 손이 건조해진다

어느 가을날
아침이슬 사이로

아욱 잎을 따고 있을
내 손이 기다려진다.

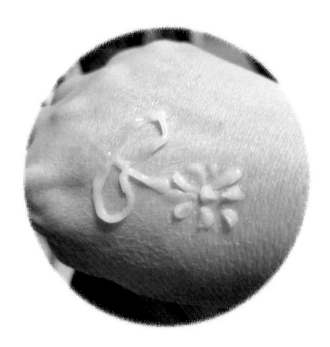

내 손을 꽃같이 가꿔보리라

추석이 올 무렵

최정임

먼저 다녀온
친정집 툇마루에
솔잎이 한 줌
추석이 기다려지는가 보다

그리워 그리워서
솔잎이 한 줌
솔향 솔솔 풍기며
익어가는 송편은
누가 그리도 그립던가

고향 그리는
우리 집 마루에선
아이들의 열 손가락이 바쁘게
우물을 판다

자식들이 가면 추석이 온줄 알고 솔잎을 뜯는다.

물

최정임

깊은 산 속
아버지가 만들어 놓은 샘터에서
다시 놀 수 있다면
물맛 좋-다 외치며
입가의 물을 훔치고 싶다

우리 동네 샘터에서 길어온 물,
감국에 따뜻한 찻물이 닿고
꽃잎을 녹여내고 나면
모락모락 다시 하늘로 올라간다

물과 바람과 떨어지는 꽃잎이 있어
아름다운 계절

그 무엇과도 바꿀 수 없는 생명.

강화도. 바다 같은 샘물

포도씨

최정임

연못가에 앉아 엄마랑
포도를 먹어요

엄마는 포도씨를
꼭꼭 씹어 삼키면
몸에 좋다고 해요

엄마 몰래 씨를 뱉어
후-하고 뿌렸어요

어느 날
연못가에 가보니
포도나무가 생겼어요

엄마는 나만큼이나
예쁘게 열렸다며
보랏빛 포도를
입에 쏙 넣어 주었어요

씨를 입안에서
오물거려요
엄마는 손바닥에
씨를 뱉으라고 해요
툭, 툭 씨가 나와요

연못에는
포도나무 넝쿨이
여기저기 손을 뻗어가요

줌방마을 연못가의 포도나무

섬

최정임

무인도에도
밀고 당기는 파도는 있다지
모래자갈의 모양새를
한번이라도 그냥 둔 적도 없고.

섬 전체의 모양을 보지 못하고

하늘하늘 흔들려요

6월의 코스모스,
왜 하늘거리는지
이제 알 것 같아요

몸을 하늘거려야
하늘이 바라봐 주겠지 하고요

가을도 아닌데
너무 일찍 피었다고
핀잔주고 가는 길손들
보기 민망해요

변덕스런 날씨 탓도 안 하고
그냥 하늘하늘거려요

움직여야 생명인 것을
6월의 코스모스도
살아 있다는 걸 알려야겠지요

그래서 하늘을 보며
하늘하늘 흔들리나 봐요.

인천장수초등학교 화단

어쩌면 너도 별이었다

최정임

일요일 아침,
날이 밝아도 암막 커튼은
까만 밤처럼 방안을 어둡게 한다

깜박, 깜박 저마다의 세상에서
하나, 둘 불이 켜진다

우리 집 남자 셋의
스마트폰이 동그란 얼굴을 비추면
다시 밤을 맞은 방안은
별들로 깜박인다

여기는 아마도 우주인가 봐
저 막막한 정보의 바다가
깜박, 깜박, 깜박인다

용기 없는 나는
혼자 깜박이는 작은 별
암막 커튼을 활짝 젖히고

쏟아지는 빛을 맞고 싶다
별들이 일제히 스러져도 좋다
고함을 쳐도 좋다

여기는 살아 있는 지구
하나밖에 없는 생명체가
작은 방에서 어줍살이 신음을 한다

빛이 있는 하루를 열고 싶다고.

세종 중방마을의 저녁노을

아직도 나보고 애기란다

"아이고 우리 애기 왔어!"
엄니보러 갈 때는 짐이 한짐이다.
머리에서 발끝까지,
모자에서 신발까지 차곡차곡 집어넣는다.
"엄마, 내가 누군지 알어?"
갈 때마다 기억력을 먼저 살핀다.
"몰러 몰러."
"진짜 몰라?"
"큰딸이지 누구여."
안도의 한숨. 엄마의 양 볼을 양손으로 두들겨본다.
"으이그 귀여운 우리애기"
엄마는 나한테 나는 엄마한테 애기가 된다.
이제는 엄마가 애기 같은데,
엄마는 아직도 나보고 애기란다.
스마트폰 앱 베이비 필터에서
엄마 얼굴, 내 얼굴이 귀여운 토끼로 필터링 된다.

스마트폰 앱을 활용하여 사진놀이

아침식탁에서

최정임

(창밖을 바라보며)
"이제 꽃나무를 심어야겄어.
삼잎국화는 크면 노란 꽃이 피고~
이 꽃 이쁘지? 가지색 꽃.

저 새 좀 봐 저 나무에 앉아 있는 거.
뭐 생각나서 왔나본디….
저것 봐 오디 따먹으러 왔네.
이 뽕나무에 열리는 게 오디여.
이 나무는 모과.

(기침하는 나를 보고)
누가 뭘 먹는다고 큰기침을 햐~
몰래 먹는 거 하나도 없는디."

중방마을 앞마당 오디나무

모과 인심

나홍연 씨에게
'모과 2개'

이 요상한 문구는 뭘까
종이에 적힌 시 같은 문구

"모과는 원래 못생겼지.
그래두, 그중에서 이쁜 걸로 골랐어."

두 개라고 쓰여 있는데
세 개를 골라 담으셨다
이것이 시골 인심이고 엄마 마음이다
이렇게 하면 되는 거였다.

나홍연 씨에게 '모과 2개'

연못만 바라보더라

최정임

1
내 저녁거리는 걱정 말고
어이 가서 놀아라 괜찮다 하시던 어머니
돌아와 보니 깻잎 한 장에
물도 없이 방바닥에서 찬밥 한술 뜨고 있었어

2
사이좋은 형제들 노는 모습 보고
이거면 족한 듯 슬그머니 자리를 뜨고는
이제나저제나 누구라도 찾아올까
연못을 향한 검은 그림자가 목을 빼고 있었어

어머니는 괜찮지 않았지
다시는 혼자 두고 싶지 않았다.

해질 무렵 중방마을 연못

고사리

최정임

산에
오르는 길에
보고는
꺾을까 말까
망설였는데

내려오는 길에
마주한 너는
어느새 훌쩍 자라
내 손을
즐겁게 한다.

고사리 꺾기 체험하는 날

내 이름은 화장지

최정임

화장지는
원래 화장할 때
쓰라고 붙여진 이름일까?
밥을 먹다
김칫국물을 흘릴 때도
감기 기운에 코를 풀 때도
화장을 지울 때도
우리는 화장지를 쓴다

가장 더러운 것을
말끔하게 닦아주고 나면
쓰레기라는 이름이 붙는다.

'화장지' 가장 아름다운 이름

골목길에서 사라질 때까지

최정임

갓난아이가
밝은 빛에 놀랄까 봐
가볍게 지나는 바람에도
감기 걸릴까 봐
기저귀 같은
얇은 면보를 둘렀습니다

이쁘다 눈길 주었던
내 시선을 알아차렸는지
큰아이가 돌아봐 줍니다

아이와 엄마가 이런 모습으로
산책하는 풍경이 보기 드문 요즘
마음을 한없이 포근하게 합니다

지난날,
우리 아이들을 따스하게 바라보던
그 시절 그 마음이 그리워

골목길에서 사라질 때까지 바라보다
눈가 촉촉해지는 오늘입니다.

골목이 사라질 때까지

겨울이 지나가는 장수천에서

최정임

늦은 겨울,
먹꽃을 피우며 번져가는 회색 구름은
장수천에 깊숙이 반영(反映)되어
금세라도 함박눈을
한가득 담아낼 것만 같다

장수천 산책길,
플라타너스 낙엽을 이불 삼아
연둣빛 새싹을 몰래 틔워
따순 3월을 기다리는 봄까치꽃.

인천 장수천을 산책하다가

산딸나무

최정임

"이 열매가 뭐에요?"
카톡에 사진과 함께
물음표가 찍혀있다
" 산딸나무 열매에요
딸기나무라고도 해요."

그러고 보니
버스 정거장 뒤로
산딸나무가 있었다
다음 날 내 스마트폰에는
산딸나무가 가득했다

봄에 하얗게 피었던
산딸나무 꽃
아~ 그 꽃이 너였구나!

서창동에서 버스를 기다리다가

커피향 솔솔 풍기면

최정임

한 사람을 위한 커피알 12g
흩어진 알갱이 모아
스르륵 스르륵
3.5 크기로 미움 갈고
4.0 크기로 사랑 갈고

여과지에 가만히 담아
골고루 불려놓고
기다리는 시간 3분

누구는 쓰고
누구는 시고
누구는 구수하다 한다

이 맛을 다 보고 나면
까만 밤을 하얗게 지새워야 할 텐데

다음엔 어떤 커피를 마셔볼까

그대 그리워
커피향 솔솔 풍겨놓고.

어머니들과 바리스타 평생학습 교육을 받으며

보리새싹

최정임

작은아이가 가져온
보리새싹 화분

큰아이 백일 무렵
쭈뼡쭈뼡 머리털 같이
하늘 향해 파릇파릇하다

학교에서 씨 뿌리고 가꾸며
아마도 형아를 생각했나보다
연년생 아이들은
작은 일에도 티격태격
그래도 친구 같은 형제.

큰아이 머리카락을 닮은 보리새싹

창

최정임

방안에 누우면
하늘이 보이는 창문이 있고
밤하늘 별 보며
속삭이고 싶었던 그곳

오늘은 울 엄마랑 누워
밤에는 별도 따고 달도 따고
낮에는 창밖 전깃줄에
참새도 안쳤다가
까치도 안쳤다가

울 엄마 외로울 때
함께 울어 줄 이

잠자리 한 마리 고즈넉하다.

친정어머니의 방에서 창문 밖으로 보이는 풍경

깍두기 담는 날

최정임

엄마는
깍둑, 깍둑, 깍둑썰고

"여보, 사이다 좀 사 오세요."
"콜라는 어때요?"
"아니오, 사이다요."
"환타는 어때요?"
"아니오, 사이다요."

아빠는
피자 먹는 날인 줄
알았나 보다.

어린이집에서 깍두기를 담으며

그거나 이거나

최정임

10시가 넘기 전에 잠을 자야해요
아빠는 잠잘 때는
스마트폰을 보지 말라고 해요

눈을 감아도 잠이 오질 않아요
이불을 뒤집어쓰고 눈만 깜박였어요

아빠는 내가 자는 줄 알고
스마트폰을 다시 켜요

내가 어른이 되면
아빠처럼 할 수 있겠지요?

복효근 시 <그거나 그거나> 모방 시

이불 쓰고 책을 보는 시절도 있었는데...

노각

최정임

늙어야 제맛인데
미리 따 먹고
맛이 없다 한다

텃밭에서 따온
늙은 오이
소금에 절여
오독오독 씹으니

친정엄마처럼 구수하고
단내가 난다.

노각인 줄 모르고 미리 따왔다

자작나무

최정임

가장 존귀한 모습으로
내게 온 그대이러니

하얀 기둥
얇디얇은 껍질 벗겨
그대 향한 그리움 그려내고

또 한 번 벗겨내어
시 한모금 적셔내고

다시 한 겹 벗겨내어
화촉을 밝힌다

어느 겨울날
그대를 닮은 하얀 눈꽃
소복이 뿌려두고

깊은 숲 양지
자작자작 속삭이다
자작자작 타오르는.

자작자작 타는소리

2부 - 에세이

일상이 마음을 기울이게 할 때

어디로 가면 될까요

 어두운 밤 대로변에서 나이 든 노인이 길을 묻는다.
방향을 잃어 당황한 모습이다. 날씨는 춥고 가로등도
침침하다. 낮에는 왕래하는 사람들도 많고 관공서도 옆
에 있어 제법 번화한 거리인데 밤이 되니 모두 숨어
버렸다. 노인은 그날 운이 나빴다. 길을 잃어 헤매다가
만난 사람이 나였으니까. 밤중에 인적은 끊어진 마당에
불현듯 나타난 내가 반가운 건 당연한 일일터, 간절히
방향을 묻는 노인에게 자신감 넘치는 어조로 대답해줬
다. 수년간 살아온 햇수며, 익숙한 길이고 동네니까.
"저 아래로 쭈욱 가시면 돼요."
 흔쾌한 대답에 발걸음을 돌리는 노인의 구부정한 어
깨가 마음에 걸린다. 경사진 도로를 천천히 기웃기웃
내려가는 노인의 뒷모습을 잠시 바라보다가 나도 서둘
러 발길을 돌렸다. 그리고 한참을 걷다가 깨달았다. 아
뿔싸! 길을 잘못 알려 준 것을. 너무나 당연하다고 생
각하고 자신 있게 알려 준 길. 가도 가도 원하는 길이
나타나지는 않고 낭패를 겪었을 노인을 생각하니 순간
현기증이 날 정도로 아찔한 마음이다. 미안하고 또 미

안했다.

고의는 결코 아니었지만 결과는 그러했으니, 나의 불찰이다. 노인이 너무 멀리 돌아가지 않기를, 이번에는 제대로 된 길을 알려줄 누군가를 만났기를 바라고 또 바랐다. 그날 노인은 목적지에 잘 도착했을까. 운수 나쁜 날이라고 욕을 하며 성질내지 않았을까. 미안한 마음에 한동안 마음이 언짢았다.

방향치, 길치인 나에게 유독 길을 물어보는 이들이 더러 있다. 그때마다 최선의 대답을 한다. 잘 모를 때엔 다른 행인을 붙잡고 대신 물어보기도 하는데 길을 찾을 때의 곤란함을 누구보다 알아서이다. 길모를 때 물어보는 것도 상당한 용기가 필요하다.

"어디로 가면 되죠?"

초행길이나 자주 안 가본 곳을 갈 때엔 갑자기 미아가 된 기분이다. 반백년을 훌쩍 넘긴 나이에도 변함이 없다. 그래서인지 유독 낯선 곳을 꺼려한다. 그래도 요즘은 상황이 많이 좋아졌다. 모바일에 있는 지도나 앱을 이용해서 열심히 길을 찾는다. 더듬더듬 느리지만, 세상은 살아가기에 점점 편리해지고 있다.

언젠가 군중 속 많은 인파에 떠밀려서 간 경험이 있다. 거대한 힘이 이끄는 듯, 보이지 않는 힘의 자력에 끌려가는 느낌은 역동적이기까지 하다. 정체불명의 감정, 개인의 의지는 숨죽이고 순응할 뿐, 물결 같은 흐름에서 갑자기 방향을 틀거나 이탈하고자 하면 부작용이 따른다. 그럴 때엔 신체적인 부딪힘도 감수하고, 정서적 민첩함도 필요하다.

어떤 조직과 집단에 소속되어 있을 때도 비슷하다. 주류에 편승해서 나아가는 방향이 마음에 들지 않을 때 대열 속에 계속 합류하느냐 이탈하느냐로 고민할 때가 있다. 묵인하면 안전하고 용이한 길로 가기 쉽고, 그것이 대세이고 트렌드 일 때도 있다. 그러나 그 길이 내게 맞지 않는 길이거나 옳지 않음을 깨닫는 순간 벗어나려는 의지와 용기가 필요하다. 위험을 감수할 수도 있다. 그 누군가가 때마침 목소리를 내어 제대로 된 길을 제시하고 안내한다면 더할 나위 없이 좋겠지만 말이다.

가끔 어떤 일을 앞에 두고 선택과 결정의 순간을 맞이할 때, 스스로에게 묻는다.

"어디로 가면 될까?"

"정말 이 길이 맞는 걸까?"

도서관 가는 길

조성희

집을 나선다. 아침부터 햇빛이 좋다. 투명한 빛으로 환해진 아파트 앞 베란다로만 만족하기엔 아까운 날이다. 대충 옷을 걸치고 나왔다. 강아지를 데리고 나갈까 해서 들여다보니, 깊이 잠들어 있는 거 같아 살그머니 나왔다. 식구들이 외출을 할 낌새라도 채면 왕왕 짖어대서 난처할 때가 많았는데 요즘 들어 통 나와 보지도 않는 것이 나이를 먹어 귀가 어두워졌거나, 알은 체하기도 귀찮은가 부다. 저 혼자 두고 나간다고 그 야단을 치더니만 나이 먹는 건 사람이나 강아지나 매한가지다.

조그만 녀석이 목청 하나는 타고나서 한번 짖기 시작하면 온 집 안이 울리고 귀가 따갑다. 어르고 달래도 소용없는데 악동도 그런 악동이 없다. 혹시 민원이라도 들어올까 봐 노심초사할 때가 많다. 식구 중 어느 누구라도 외출할 때마다 녀석이 좋아하는 간식용 껌을 저 멀리 던져두고는 모두들 줄행랑을 치곤 한다. 아니나 다를까 성질도 급해서 게 눈 감추듯이 껌을 먹어치우고는 이내 짖는 소리가 현관문 사이로 들려온다.

그때마다 미운털이 박히다가도, 외출했다가 들어올 때마다 꼬리를 흔들며 한달음에 달려온다. 동동거리는 그 모습에 "말랑아, 자알 이써써엉"하며 말꼬리가 절로 느려지는 식구들도 한결같다.

짖는다고 탓할 땐 언제고, 늙어서 조용해지니 한편 짠한 마음이 든다. 사람도 동물도 애정이 깊을수록, 세월이 갈수록 측은지심이 절로 든다. 자신에 대해서도 상대방에 대해서도 너그러워지는 마음. 청춘도 잠깐이고 노화도 금방이라서 지금 이 순간이 소중하고 애틋하다.

집 밖을 나서니 봄 꽃샘추위에 옷깃을 여민다. 대충 걸친 옷옷 단추를 꼭꼭 채운다. 따뜻한 점퍼를 입을 걸 생각하며 켜진 신호등에 재빨리 걸음을 서두른다. 두어 걸음 옆으로 어린아이가 엄마 손을 꼭 붙들고 종종걸음 발을 놀린다. 엄마랑 나선 나들이가 제법 신나고 뿌듯한 모양이다.

차가운 바람에도 의기양양 걷는데, 아뿔싸 코가 찌익 흐르고 있네. 닦아주고 싶은데 괜히 아는 척하기도 좀 그렇다. 내 아이도 저렇게 어릴 때가 있었지, 손안에서 놓칠세라 꼭 붙잡은 작은 손가락들이 지금도 느껴진다. 온전한 기댐과 보호의 온기, 미끄러우면서 따뜻한 손과 손의 감촉.

아파트 사이 건널목을 건너면 바로 잇닿는 길이 나온다. 건널목을 건너면서 정한 오늘의 목적지는 율목도서관이다. 자유공원도 잠시 생각해 봤는데 아무래도 도서관이 좋겠다. 이맘때쯤이면 정기적으로 발행하는 문학 잡지도 있고 좋아하는 작가의 신작도 나올 때가 되었다.

반짝이는 지성과 감성으로 글을 써내는 작가와의 대화시간, 아름답고 유려한 문체, 매혹적인 서사와 구성에 감탄한다. 어떤 글은 읽을수록 상담을 받는다는 느낌이 들 때가 있다. 상담자의 진솔함, 내담자에 대한 존중, 공감적 이해를 마주한다. 마음속 문제들이 이해받고 위로받는 느낌이다.

삶을 응시하고 풀어내는 폭넓은 시선, 때로는 신랄하고 냉철한 지적에 뜨끔해진다. 그 순간 각성과 함께 카타르시스를 느끼곤 한다. 새로운 관점에서 나와 주변을 바라보게 되는 계기가 된다.

책은 영혼의 양식이란 말이 있다. 영혼의 양식이 책이라서 얼마나 다행인가. 크기도 구입비용도 적고 동네 도서관에서 맘껏 볼 수 있다.

삶의 지혜와 성찰을 발견하는 기쁨, 무엇보다 맛있는 음식 같은 책을 접할 때의 즐거움도 크다. 어느 작가가 만들어낸 신조어 '놀궁'(놀랍고 궁금하다) 이라는 표현이 잘 맞는다.

회색빛 보도블록 위에 작은 풀잎들이 보인다. 볼 때마다 느끼지만 참 신기하다. 콘크리트나 시멘트 같은, 식물이 뿌리내릴 수 없는 곳에서 자라는 생명들은 신비롭다. 돌계단 위에도 담벼락 한가운데도 불쑥불쑥 보인다. 식물들이 살기 좋은 토양이 아닌 척박한 환경에서 피어난 모습이 신기하고 대견한 마음이다.

저 앞에 보이는 자동차 세 대가 엉켜 꼼짝 못 하고 있다. 이럴 땐 갈길 급한 운전자가 먼저 내려 교통정리를 하는데 보아하니 아무도 나서지 않고 서로 눈치만 보고 있다. 혼잡한 상황을 잘 판단해서 민첩하게 행동을 취하는 사람들이 있는 반면, 조금의 양보도 허용치 않는 사람들도 많다.

구도심 속 도로 대부분은 순수한 차도도 없고 인도도 없다. 가는 곳마다 주차장이 부족해서 인도 위에 반쯤 올라서 있는 자동차들, 차도에는 양면 주차가 일상이다. 주차난에 대한 해결책, 민관 협치가 필요하다.

왼쪽 편에 '항아리 왕수제비집' 간판이 보인다. 주인 아주머니가 오전부터 일찍 장사 준비를 하시는지 유리문이 활짝 열려 있다. 그 앞을 지나치는데 멸치 육수를 끓이시는지 냄새가 구수하다. 순간 구미가 당겨서 당장이라도 한 그릇 먹으면 좋으련만 그러기엔 너무 이른 시간이다.

요즘엔 뜸하지만 예전에 여러 번 잘 갔던 식당이다. 손으로 밀가루 반죽한 수제비를 끓는 물에 동동 띄워 만든 쫀득쫀득한 맛이 그만이다. 멸치에 갖은 야채를 넣고 푹 우려낸 국물 맛이 좋다. 큰 대접에 담아 준 뜨거운 국물을 훌훌 불며 먹는다. 다 먹은 후에 포만감이란! 요즘엔 만드는데 손이 많이 가는 수제빗집이 드물다.

나이가 지긋하신 아주머니 혼자서 수제비뿐 아니라 칼국수, 각종 찌개에 덮밥, 왕돈가스도 있다. 취향에 맞게 골고루 먹을 수 있다. 오는 손님 대부분이 가족 단위의 단골손님들이다. 바쁜 시간에 혼자 주방에서 고군분투하는 아주머니 생각해서 개인 접시며 반찬 담기는 저마다 알아서 한다.

고된 주방 일에 병이 나서 한동안 식당 문을 닫은 때를 제외하고 늘상 열려 있다. 한여름에는 차가운 열무국수 맛이 일품이다. 초록색 열무 이파리가 연두색으로 살짝 익어 새콤달콤하고, 쫄깃한 면발이 더위에 지친 입맛을 돋운다. 다양한 메뉴에 가격도 저렴한데 양도 많다.

그래서인지 식사 때가 되면 작은 식당이 꽉 찬다. 편한 옷차림을 한 동네 사람들이 대부분이다. 어린 아이들과 같이 온 젊은 부모들, 둘이서 셋이서 오는 어르신들이다. 주문받은 다양한 메뉴를 빠르게도 내놓는 아주머니께 놀랄 때가 많다. 특히 손수제비는 손으로 떠서 끓는 물에 띄워야 하는데 다른 메뉴를 준비하면서 가능한 일인가 싶다. 음식 만들기에 굼뜬 나로서는 놀라운 일이다. 조만간에 와서 수제비를 먹어야겠다.

열 걸음쯤 옮기니 단골로 가는 애견미용실이다. 친절하고 솜씨 좋다는 소문에 먼 곳에서도 오는 손님이 많다. 영업이 잘 되서 낡은 건물을 매입하고 대대적으로 리모델링해서 이전했다. 밝고 상냥한 사장님은 까다롭고 예민한 우리 집 말랑이도 잘 받아준다. 살뜰한 견주들은 이 모양 저 모양 꾸미는가 본데, 우리 집 강아지에겐 언감생심 남 얘기이다. 예민한 애가 두려움도 많아서 제 몸 쓰다듬을 때만 제외하고는 몸에 손대는 걸 싫어한다. 목욕시키거나 산책하러 갈 때 목줄 채우는 것도 어렵다. 가족들도 돌아가면서 그 깨알만 한 조그만 이빨에 몇 번이나 물려서 피를 보았다.

약간 반곱슬 하얀 털이 양털마냥 예쁘지만 어지간히 길어지면 꼬리 끝만 남겨두고 싹 민다. 미용사가 아무리 숙련된 솜씨라 해도 털 다듬다가 물릴 수 있어서다. 외모보다 안전이 제일이다. 잔털만 매끄럽게 남은 민둥민둥한 모습에 강아지 저도 민망한지 부끄러워하고 그

때마다 낯설다.

강아지 나이로 열네 살. 사람 나이로는 칠십 대란다. 검버섯도 많이 생기고 백내장이다. 수명이 다하는 날까지 아프지 말고 건강하면 좋으련만 모를 일이다. 노화도 병도 막기는 어렵다. 그때그때마다 주어진 대로 최선을 다할 뿐.

미용실 입구에서 이제 막 들어가려는 견주와 강아지가 보인다. 털 깎는 걸 아는지 낑낑대며 자꾸 다른 방향으로 가려고 한다. 강아지도 사람도 유난히 미용을 싫어하는 경우가 있다. 작은 애가 어릴 때 미용실에서 엄청 애를 먹이곤 했다.

제 머리에 가위며 바리깡이며 뭔가 닿고 자르는 게 싫었는지 무서웠는지, 온 힘을 다해 거부하고 울어대는 게 전쟁터를 방불케 했다. 여섯 살이 될 때까지 미용실 가는 것이 큰 행사였다. 조그만 아이 몸 어디서 그런 힘이 나오는지, 일단 온 몸으로 껴안고 앉으면 다른 누군가가 붙잡아 줘야 작업을 마칠 수 있다. 때마다 머리를 깎아 준 미용사 정신을 쏙 빼곤 해서 참 힘들었을 텐데 싫은 티 한번 안 낸 그분은 지금도 건재한지 궁금하다.

오래된 동네약국이 보인다. 볼 때마다 손님이 없는 한산한 모습이다. 건널목을 사이에 두고 초등학교와 중

학교가 있다. 둘 다 백 년을 훌쩍 넘긴 역사 깊은 학교이다.

도로 위 아스팔트가 햇빛에 반짝인다. 평일이라 그런지 차량이 적고 인근 학교 앞이라 다들 서행 중이다. 어저께 미세먼지가 심해 주의보가 떴었는데 오늘은 가을 하늘이 무색한 푸른 하늘과 깨끗한 공기가 반갑고 감사하다. 보행 신호를 기다리며 심호흡을 해 본다. 정신이 맑아진다. 건널목을 건너면 직선으로 맞닿은 햇볕 좋은 길이 있다. 집에서 도서관까지 가는 길은 거의 직선으로 뻗어 있다가 마지막 오분의 일 정도 남은 길이 경사진 언덕이다. 막바지에 힘차게 올라가야 한다.

도서관 수업이라도 있는 날에 늦기라도 하면 경사지를 올라가느라 너무 힘들어서 도착한 후 십여 분 넘게 숨을 고를 정도다. 언덕길 들어서기 전 백 미터 넘게 쭉 곧은길에 시선을 끄는 가게가 눈에 띈다. 언뜻 보면 아이들 장난감인가 싶다가 자세히 보면 온갖 잡동사니들로 인도 한 편을 길게 차지하고 있다. 간판은 '000종합건축'으로 타일, 하수구, 지붕, 방수 등 멀쩡하게 영업하는 곳이 분명하다. 자전거 바퀴, 북, 환풍기, 물뿌리개, 양철통, 공, 이름 모를 쇠붙이, 각종 공구, 손선풍기, 조명기구, 빛바랜 플라스틱 의자, 조화 등등 가짓수도 많아 셀 수도 없다. 제각각의 재료들을 반짝반짝 새것처럼 닦고 이어 붙인 공작품이다. 그렇다고 판매할 정도의 것들은 아닌 듯하고 설치 예술품이 될 수도 있겠다. 가게 앞에 길게 나열된 모양으로 봐서 전시하는 모양새다. 가끔 발걸음을 멈추고 들여다보는 사람들이 보인다. 주인의 의도는 성공적이다.

이십 대로 보이는 젊은 아가씨가 작은 강아지 세 마리를 데리고 지나간다. 가끔 여러 마리의 강아지들을 한꺼번에 산책시키는 이들을 보곤 하는데 체력이 좋다. 힘과 세심함이 고루 있어야 가능할 듯싶다. 앞서거니 뒤서거니 강아지들은 신이 났다. 그중에 힘 쎈 놈이 서열도 높아서 제일 앞장서서 가려고 한다. 가끔은 견주들이 힘이 달려 보일 때도 있는데 중형 견 이상일 때가 그러하다. 단독 주택에서 사는 사람들은 덩치가 크고 사나운 대형견을 키우기도 하는 데 길을 가다가 마주치기라도 하면 멀찌감치 떨어져 걷는다. 얼마 전에 만난 송아지만 한 개는 당당한 폼이 하도 위풍당당해서 멀리서지만 한참을 바라보았다. 윤기 나는 새카만 털에 견주의 애정이 보였다.

도로를 사이에 두고 오래된 돌담이 높고 길게 펼쳐져 있는데 탄탄한 옹벽 너머로 일제 강점기에 지은 '문화주택' 단지가 있다. 당시 일본식 주택으로 요즘의 타운 하우스 개념이다. 인천 개항 이후 유입된 일본인들이

상업과 유통의 중심지인 중구 신흥동에 자리 잡게 되었고 군락을 이룬 부유한 동네였다. 해방 이후 일본인들은 떠났지만 주택 단지는 그대로 남아 오늘에 이르렀다. 그중에 한 곳이 여섯 명의 인천 시장이 거주했던 관사로 사용되다가 지금은 시민에게 개방되어 일명 '긴 담모퉁이집'으로 거듭나게 되었다.

이곳에서는 다수의 인문학 및 문화 프로그램이 운영되고 있으며 하우스 콘서트 등 연주회도 활발해서 입소문을 타고 오는 방문객이 많다. 대지 면적이 크지 않고 2층 구조의 일본식 목조 건축물을 내부 일부분을 리모델링했다. 안으로 들어서면 아담한 정원 안에 다양한 식물들이 손님을 맞이한다. 오랜 세월에 마모된 부분들을 현대식으로 바꾼 모습이 더러 있지만 큰 틀은 그대로여서 옛 정취가 물씬 느껴진다. 건물 1층 거실 부분은 문화 프로그램 및 학습실로 오픈되어 있고 한쪽에 분위기 좋은 '필사의 방'이 있다. 2층으로 향하는 폭 좁은 나무계단을 올라가면 일본식 다다미방이 있는데 아늑한 분위기다. 가끔씩 열리는 문화 강연 및 간담회가 있는 날을 제외하고는 대부분의 날들엔 삼삼오오 오는 사람들의 좋은 휴식처가 된다. 시중에서 보기 힘든 책들과 미술 도감들도 비치되어 있어서 나도 즐겨 찾곤 한다.

2층에 있는 작은 툇마루에서 작은 창호 문을 통해 보는 정원이 참 예쁘다. '풀등정원'이라는 이름에 어울리는 작은 석등들도 옹기종기 있고 나무들도 꽃들도 자연스럽다. 찾아오는 새소리를 듣노라면 곧잘 이곳이 도심 속 공간이라는 생각을 잊어버리곤 한다. 최근에 새로 조직된 '긴담모퉁이 합창단'에 입단해서 열심히 합창연습을 하는 도중, 새소리가 들려 통유리 문 너머 정원을 바라보았다. 새도 보고 나무도 쳐다보며 "아, 이런 게 행복이지."

연습이 끝나고 티타임을 갖은 단원들도 같은 기분을 느꼈다고 해서 더 좋았다. 문화주택 단지 골목의 고즈넉함을 먼발치에서 보고 다시 발걸음을 옮긴다.

양쪽으로 길게 이어진 옹벽에 매달려있는 담쟁이 넝쿨들이 아직은 갈색 가지들만 보인다. 조금 더 날씨가 따뜻해지면 초록빛 아기 손 같은 이파리들이 나오기 시작해서 반짝임을 뿜낼 것이다.

마주 오고 지나쳐가는 어르신들 표정이 덤덤하다. 그중에 한 두 명은 시선을 주기도 한다. 그럴 때엔 나도 모르게 살짝 고개를 숙이기도 하는 데 상대방이 인식할 듯 말 듯 한 선이다. 그런 나의 작은 신호에 그만큼의 반응을 하는 사람들도 더러 있다. 주로 나이 지긋한 아주머니들로 슬며시 입가에 미소가 보인다.

이름은 모르지만 가깝게 다가와서 어깨를 스칠 듯 지나가는 사람들, 모르는 이들인데 또 어디에선가 본 듯한 사람들이다.

 쭉 뻗은 길이 끝나는 곳에서 오른쪽으로 방향을 튼다. 이제부터 오르막이다. 마음의 준비를 한다. 비탈길 입구부터 왼쪽에 큰 교회가 있다. 경사진 길에 있지만 꽤 넓은 면적의 대지 위에 지어져 있다. 건물 규모가 크고 신자가 많은 교회라고 한다. 도서관 인문학 프로그램에 참여하면서 알게 된 수강생 한 명이 분당에 살면서 근 이십 년 넘도록 이 교회를 다니다가 지난해에 가까운 동네로 이사 와서 너무 좋다고 했다. 그 먼 곳에서 매주 왔다고 하니 신앙의 힘이 대단하다.

 교회 담벼락에 걸쳐진 노란 산수유가 꽃망울을 드러낸다. 별 모양의 작은 꽃들이 시원하게 뻗은 가지에 점점이 무리 지어 있다. 노란빛에 살짝 연두색이 감돌아서 더욱 봄다운 빛깔이다. 지금부터 봄이라고, '이제 마구마구 피어날 테니 조금만 기다리세요' 한다. 마침 교회 앞 주차장 입구 쪽으로 고양이 한 마리가 어슬렁 지나간다. 하얀색 바탕에 귀 뒤랑 꼬리 부분만 검다. 천천히 걷는 게 참 한가롭다했는데 배 아래가 불룩하다. 새끼를 밴 어미고양이다. 털도 깨끗하고 영양 상태도 좋아 보여서 아마도 교회에서 사는 고양이가 아닐까. 그렇다면 복 많은 냥이제. 부디 순산하렴.

 발바닥 뒤쪽에 힘을 주고 다리는 가볍게, 보폭은 조금 넓게. 맞는지 모르겠다. 경사지를 오를 때 요령으로 말이다. 호흡이 벌써 들쑥날쑥 하려는 조짐이 보인다. 경사가 조금 심해지는 지점에서 뭔가가 떼구르르 굴러온다. '어어' 하면서 순식간에 발 언저리까지 온 걸, 언뜻 보니 갈색 솜뭉치 같다. 나도 모르게 잽싸게 오른발을 내밀어 막는다. 앞을 바라보니 금방이라도 울음을 터뜨릴 태세의 어린아이와 당황한 아이 엄마가 보인다. 아이가 작은 인형을 놓친 모양이다. 얼른 집어서 전해주려는 손이 바쁘다. 발이 맘 같지 않게 빨리 안 떨어진다. 꽤 거리가 떨어져 있어서 지금이라도 울음을 터뜨릴 것 같은 아이에게 "괜찮아. 아줌마가 줄게" 큰 소리를 낼 수밖에 없다. 아이 엄마는 안심하는 표정으로 고맙다는 인사를 한다. 곰 인형을 보니 문득 생각이 떠오른다.

 경기도 안성에서 이년 정도 살다가 인천으로 이사 오는 날도 오늘처럼 햇볕 좋은 봄날이었다. 꽃샘추위도 비슷했다. 그때 아들이 다섯 살이었는데 살던 아파트 동 앞에서 베란다 쪽을 올려다보며 "베란다야 안녕!" 작별인사를 했다. 손에는 늘 들고 다니던 애착인형을 들고서. 내심 어린 마음에 정든 집 베란다를 떠난다는 게 섭섭했던 모양이다. 남편 발령지로 이년 정도 살 요량으로 전세 얻은 집이라 손 볼 생각을 안 했는데 십칠 평형 아파트라서 아이가 놀 공간이 넉넉지 않았다. 앞 베란다 작은 공간에 마루를 깔고 장판을 얹어 아이 놀이방으로 삼았다. 아파트 앞쪽에 건물이 없는 4층 남향집이라서 햇볕이 잘 들었는데 그 공간에서 아이는 하루의 대부분을 보냈다. 마치 정든 친구에게 작별인사를 하듯 애틋하게 말했던 아이의 목소리가 어제인 양 들린다. 손때 묻은 곰 인형도 보이는 듯하다.

인천에 이사 와서도 한참을 갖고 있던 곰 인형을 어쩌다가 잃어버렸고 아이도 더 이상 찾지 않았다. 언제든 추억도, 추억이 깃든 물건도 사라진다. 시간이 흐르면서 보이는 것, 보이지 않는 것도 흘러간다. 잠시 잠깐 머물다가 사라진다.

교회 맞은편에는 벽면 전체가 하얀색 페인트칠 된 어린이 학원이 있다. 교과목 공부뿐 아니라 피아노, 미술도 교습한다고 학원 유리문에 쓰여 있는데 지나갈 때 피아노 소리는 한 번도 못 들은 거 같다. 지금이야 예체능 학원이며 과목 교습 학원이 부지기수지만 내가 어릴 때엔 그다지 많지 않았다. 교육열 높은 엄마를 둔 나는 일곱 살 때부터 피아노 학원을 다녔는데 집에서부터 꽤 먼 거리를 거의 매일 하루도 빠지지 않고 오고갔다. 평평한 도로도 아니고 높은 지대에 위치해서 가파른 언덕길을 눈이 오나 비가 오나 다닌 기억이 있다. 단독 주택을 개조한 방에 피아노 두어 대를 놓고 교습하는 곳이었다. 집은 꽤 넓은 편이었고 나는 주로 거실에 있는 피아노로 연습했다. 선생님은 방씨 성을 가진 분이라서 '방 선생님'으로 불렀는데 살집이 통통하고 목소리가 나지막한 중년 여성으로 기억한다. 피아노 교습은 기능에 중점을 둬서 똑같은 곡을, 같은 대목을 여러 번 반복해야 하는 경우가 많다. 그래서 지루할 때도 많은데 그 고비를 넘기는 인내심이 반드시 필요하다. 기초 교본은 바이엘, 소곡집, 하논 등으로 작은 손가락으로 참 열심히 쳤다. 한 번씩 꾀가 나면 마당에 나와 화단에서 흙장난도 하고 꽃잎도 따곤 했는데 선생님의 감시로 자주 놀지는 못 했다. 인자한 인상에 상냥한 선생님으로 기억한다. 성당 유치원을 같이 다녔던 단짝 친구 수연이가 피아노 학원도 같이 다녀서 더 좋았다. 얼굴도 예쁘고 피아노도 잘 치던 수연이는 어디서 어떻게 살고 있을까 궁금하다. 햇볕 좋은 거실에서 하논을 특히 잘 쳤던 친구. 유치원 바로 앞에 있던 수연이네 집에 자주 가서 밥도 먹고 인형 놀이며 소꿉놀이도 많이 했는데, 딸 부잣집 셋째 딸 친구가 보고 싶다.

어느 날엔가는 방 선생님이 잠깐 급한 일로 집을 비우신 적이 있었는데 수연이랑 둘이서만 있게 하기는 불안하셨는지 동네 언니를 불러왔다. 어렴풋한 기억으로는 우리 둘 보다는 나이가 들었지만 십대 소녀였을 것이다. 선생님도 안 계시겠다, 기회는 이때다 싶어 연습은 고사하고 놀 궁리로 신나하던 중에, 얼굴이 새파랗게 질린 언니가 어서 숨으라고 야단이다. 이유인 즉, 문둥이 환자가 왔다고 어쩌면 좋냐는 것이다. 지금의 나병 환자를 당시에는 그렇게 불렀다. 더러는 걸인 모양으로 먹거리며 돈이며 얻으러 다니다가 병을 옮기거나 어린아이를 잡아간다고 하는 흉흉한 소문이 무성했다.

현시대라면 나병의 전염성의 여부를 가리고 정책적으로 기관에서 보호의 대상이지만 당시에는 그렇지 않았나 보다. 아무튼, 대문은 잠겨 있지만 어른이 없는 집 안에서 세 명의 아이들이 겁에 질려 이불까지 뒤집어쓰고 오들오들 떨었던 기억이다.

왼쪽으로 비스듬히 경사진 길 위에 또 다른 단독주택이 보인다. 대문 앞 길가에 집주인이 살뜰하게 애정을 쏟은 꽃이며 묘목이 보인다. 철마다 피는 꽃도 여러 가지인데 그중에서 능소화가 가장 예쁘다.

이제 얼마 안 남았다. 경사진 곳을 벗어나니 평평한

길이 나오고 저 멀리 두 갈래 길이 보인다. 나지막한 주택가 골목이 소박하고 조용하다. 담장 너머로 우뚝 솟은 키 큰 나무들도 보이고 그 옆에는 지층이 반 층 정도 낮은 집의 기와지붕이 보인다. 너무 크고 넓은 면적의 지붕인데 가을이면 오래된 은행나무에서 쏟아져 내린 노란 은행잎들이 융단처럼 지붕 위에 덮는다. 지붕 큰 집과 나란히 있는 옆집 사이로 좁은 골목이 있고 층이 진 계단이 아래쪽으로 완만하다. 이 앞을 지날 때 한번은 멈춰 서곤 한다. 계절마다 그때그때의 정취가 한 폭의 그림이다. 나무와 집과 계단과 골목이 어우러져서 마음을 붙잡고 여운을 준다.

언제가 가닿아도 또 다른 길이 이어질 것 같은 기대감으로 설레는 곳, 왠지 로맨티스트가 될 것 같은 곳, 가끔은 그런 곳이 필요하다.

이제 조금만 더 가면 도서관이다. 저 앞으로 노란색 아치가 보인다. 어린이 도서관도 있는 곳이라 도로 바닥에 자동차 속도 제한 표시가 있다. 왼편에 파란 대문 집은 바닥에서부터 돌층계가 열 개 정도 있다. 전봇대가 여러 개 보이는데 전봇대 사이로 보이는 전선에는 가끔 멧새랑 이름 모를 산새들이 오롱이조롱이 앉아서 쉬어간다.

역사가 오래된 도서관, 오랜 세월만큼 사연도 많고 부침도 겪었지만 지척의 율목공원까지 지역의 소중한 유산이다. 유구한 세월의 지혜와 정신이 살아 숨 쉬는 곳에서 잠시 호흡만 해도 몸과 마음의 정화를 느낀다. 이제 즐겁고 재미난 유희에 빠져들 시간이다. 그 누구의 방해도 받지 않는 나만의 자유 시간, 책 속의 매혹에 스며드는 향기로운 시간이다.

호박이 오이가 되었네

조성희

　지난해 가을 잘 익은 누런 호박 두 덩이가 내 몫으로 넘어왔다. 친정엄마가 섬에 있는 주말농장에서 아로니아, 오미자, 엄나무, 호박, 돼지감자 등 작물들을 열심히 가꾸고 거둔 수확물이다. 노모의 손길에 봄부터 여름까지 햇빛을 받아 누렇게 잘 익은 호박이 탐스러웠다. 그중에서 먼저 덩치가 작은 것이 빛깔 좋은 호박죽이 되어 우리 집 식탁에 올랐고, 크고 잘생긴 나머지는 한동안 마루 한쪽에 떡 하니 자리를 차지했다. 겨울이 지나기 전에 마저 호박죽을 해야지 맘만 먹고 미루다가 시간이 꽤 흘렀다. 탐스러운 자태가 관상용으로만 있다가 먼지만 쌓였다.

　오랜만에 흰 눈이 내린 어느 날, 미끈한 호박을 쓰다듬다가 무심코 마루에 닿은 면을 보니 거뭇거뭇한 모습이 썩어가는 게 분명했다. "아뿔싸, 이를 어째". 엄마가 애써 키운 호박을 굴렁차에 실어다 주셨는데, 게으름뱅이 딸이 썩혀 버렸으니 죄송한 마음뿐이다. 속상한 마음에 한숨만 쉬다가 결국엔 마당에 있는 화단 한쪽에 파묻기로 했다. 아침부터 소복하게 내린 눈이 뚝 떨어진 기온에 얼어붙기 시작해서 서둘러 구덩이를 파고 묻었다.

어느덧 봄이 오고 쌀쌀한 봄바람이 불던 날, 여느 해처럼 동네 꽃집에서 상추, 고추, 방울토마토 등 모종 한 무더기를 사 들고 와서 화단에 정성껏 심었다. 흙을 만지고 어린 모종들을 심는 일은 즐겁다. 매일 거르지 않고 물을 주며 마음을 쏟는다. 하루가 다르게 쑥쑥 자라니 즐겁기만 하다. 어느새 제법 모양을 갖추는 작물들 사이로 작은 떡잎들이 보인다. 요렇게 귀여운 잡초도 있나 하고 며칠 지켜보다가 정작 키우려는 식물들에 영향 줄까 봐서 조금 망설인 끝에 눈 딱 감고 떡잎들을 뽑아 버렸다. 그런데 왠지 안쓰러운 마음에 몇 개인가를 남겨두었는데 얼마 안 지나 제법 키가 크고 잎이 생기더니 넝쿨을 뻗었다. 그냥 잡초가 아닌가 보다, 여겼다.

마침 집에 오신 엄마 말씀이 호박 같다고 해서 웬 호박인가 싶은데, 겨울에 파묻었던 호박이 생각났다. 겨우내 차가운 흙 속에 묻혀 있다가 따뜻한 봄 기온에 씨앗이 발아한 모양이다. 안 그래도 멀쩡한 걸 썩혀버려 안타까웠는데 싹이 나오다니 반가운 마음이다. 수개월을 버티다가 움튼 새싹이라 더욱 소중하다. 그날부터 남다른 애정을 받고 자란 호박잎은 무럭무럭 자라더니 이내 군락을 이루었다. 노란 호박꽃이 제 모습을 자랑하고 연잎 모양 넓적한 큰 잎들은 초록색 그늘을 드리웠다.

뜨거운 여름이 무르익던 어느 날, 드디어 노란 꽃잎 아래 새끼손가락 한 마디만한 연두색 열매가 모습을 드러냈다. "에게,,"소리가 절로 나오게 쬐그마하고 가녀린 몸통에 깨알 같은 점들이 보이는데 선인장 가시처럼 따가운 털이 촘촘히 박혀 있다. 어린 호박을 처음 보는 신기한 마음에서 아침저녁으로 바라보던 어느 날 이제 중간 크기만큼 자랐다 싶은 호박이 아무리 보아도 호박이 아니었다.

눈을 씻고 보아도 오이가 맞다! 호박이라는 단순하고 절대적인 믿음이 한순간에 깨진 놀라움이란, 호박이 오이로 변신했다니! 다 자란 잎의 모양은 조금 다른가 본데, 떡잎부터 노란 꽃까지 호박과 비슷한 오이다. 단지 아기 호박은 가시가 없다고 한다. 그해에 자란 호박 세 그루는 호박 여러 덩이를 생산했고 오이 한 그루도 튼실하게 잘 자라서 열댓 개 정도 우리 집 식탁에 올려졌다. 아직도 오이의 출처는 어디인지 궁금하다.

가끔은 살아가면서 짧은 지식이나 상식을 토대로 맹목적 믿음과 자아도취에 빠진 자신을 발견할 때가 있다. 뒤늦은 깨달음에 가슴이 서늘한 적이 한두 번이 아니다. 호박과 오이의 정체성과 진실 정도는 재미난 에피소드에 불과하다.

　진실을 바로 보지 못할 때도 있고, 어쩌면 알면서도 외면할 때조차 있다. 마음의 눈을 가리는 커튼을 치고는 잘못 알 수도 있다며 자신을 감싸기에 급급하고, 왜곡된 시선으로 주위를 바라보고 경직된 틀 안에 내면을 가두기도한다. 그럼에도 깨달음을 얻고자 하는 마음, 진실을 알고자 하는 마음도 유지하고 있다. 자신과 타인에게도 유연한 태도를 가지는 한편 정도를 지키며 의연하자.

　호박이면 어떻고 오이면 어떠한가. 그 여름 진실하고 무구한 순간이 내게 있었으니. 유한한 시간의 영속성은 찰나의 기쁨에 빛을 낸다. 가끔은 고단한 일상에 단비를 주는 소소한 유머가 있는 시간을 기다린다.

자화상

조성희

모처럼 한가한 날이다. 귀중한 시간, 온전한 쉼이 있는 평일 하루이다. 무엇을 하면 좋을까. 내게는 설렘이 담긴 물음표다. 빽빽한 일정들이 모바일 달력에 작은 글씨들로 채워져 있다. 얼마 전에 만난 지인이 일정표를 보더니만 눈을 휘둥그레 뜨며 놀라워했다. 무슨 일이 그렇게 많으냐고, 어떻게 다 소화하냐는 말에, 그냥 그래, 백수가 과로사한다고 주거니 받거니 말하면서 웃었다.

각종 인문학 수업, 글쓰기 수업, 오래전부터 꾸준히 해온 서양화, 역사 공부, 지역 탐방, 사진 작업, 성악, 악기 연주, 합창단, 여러 문화센터 수업들, 때때로 많은 시간을 투자한 각종 자격증 공부, 몸담고 있는 종교 활동, 최근에는 지역 마을 활동가 역량교육까지 일일이 나열하기 힘들다. 정말 많기도 하다. 배움에 대한 끝없는 갈망으로 점철된 시간들, 학습의 단계별 진도는 해내야 할 과제와 집중해야 하는 시간의 연속이다. 취미도 배움도 지나치면 일이 된다.

얼마 전에는 남편으로부터 "당신은 평생 배우기만 하네!"라는 말에 순간 궁색해진 답변은 "그러게 말야…."였다. 나 자신에게 물어본다. 무엇을 위해, 무엇 때문에 끊임없이 배움에 집착하는가, 라고 물어보니, '부족한 내면과 허한 정신을 채우려고'라는 대답이 들려온다. 어려서부터 매사에 궁금증과 호기심이 많고 이것저것 탐색하기를 좋아해서 자연스럽게 독서량이 많았다. 또한, 음악, 미술, 무용 등 예체능 수업에 참여했다. 무언가를 배우면서 몰입하는 시간이 좋았고, 어느 정도 과정의 어려움을 견디면 나름 만족할 만한 결과물이 나옴을 경험했다. 주변에는 보고 듣고 배울 거리가 많았고, 그때마다 거부하지 않고 스펀지마냥 흡수했다. 그것이 성인이 되어서 지금에 이르렀다.

'호모 사피엔스로서의 본능인 거야'로 당당한 이유도 댄다. 세상사 많고 많은 직업 중에 '배우는 직업이 있다면 먼저 달려가서 터치다운을 할 요량이다.

하지만 대부분의 인생살이가 그렇듯이 내게도 주어진 고민과 걱정이 늘 있었고, 그때마다 배움에 열중할 시간을 찾아서 잠깐이나마 시름을 잊을 수 있었다. '꽃길만 걸으세요.'라는 염원과 덕담이 유행하는 시대이다. 그만큼 저마다의 고난과 역경으로 점철된 삶이 많아서일 테다.

요즘 들어서 지나간 시간을 문득 되짚어 생각할 때가 많다. 돌이켜보면 아쉬움이 크다. 나의 여러 꿈 중에서 하나를 잘 선택하여 매진했다면, 지금보다 훨씬 나은 결과를, 좀 더 값진 열매를 거두지 않았을까 싶다.

누구나 가지 않은 길에 대한 아쉬움이 있다. 선택은 본인에게 달렸으며, 결과는 본인의 몫이다. 한 우물을 깊이 파지 않고 여러 방면에 발을 들여놓은 탓에 일관된 성취는 없었으나, 여러 방면을 경험한 데서 오는 다양한 즐거움은 인생의 밝은 빛이 되었다. 지금부터라도 내면을 깊숙이 들여다보며 호흡을 가다듬고서 진솔하고 겸허한 발걸음을 옮긴다면, 배를 단단히 지지하는 닻을 깊게 내릴 수 있으리라. 결국, 선택도 결정도 나의 몫이며, 주어진 시간과 그동안 부단히 달려온 노력의 원동력이 있지 않은가.

'늦음'에 연연하지 말고 '시작'의 실타래로 묶은 '진실로 원하는 삶'을 두레박 삼아서 깊은 우물 속에 던져봐야겠다. 그렇게 길어 올려진 맑은 물의 투명함을 보자. 선물 같은 오늘, 하늘을 보고 바람을 느끼며 천천히 걸어야겠다. 따스한 햇볕을 양어깨에 얹고 흥얼흥얼 노래를 부르면서.

장독대에 핀 골담초

최정임

순간, 친정집 장독대에 피었던 노란 ′골담초′가 생각 났다. 어릴 적 이 꽃을 따서 꿀을 쪽쪽 빨아 먹던 기억 이 생생하다. 씹어도 향긋하니 간식거리가 되었다. 지 난주에도 쪽창으로 이 꽃을 보며 친정어머니와 대화를 했다. 친정어머니는 마른 덤불이 골담초를 산처럼 덮고 있어서 꽃이 피기 힘들겠다고 한다. 나에게 이름도 물 어본다.

″엄마가 어렸을 때 ′골단추′라고 알려준 거 같아요.″
″그려, 참 ′골단추′였지.″

치매가 오신 친정어머니를 주간어르신재활센터에 보 고는 갈퀴로 덤불을 긁어내렸다. 장독대의 모습은 사라 지고 비탈진 언덕이어서 겨우 손이 닿는다.

덤불을 다 걷어내기가 힘들었다. 이번 주에 다시 친 정에 가면 ′골담초′가 활짝 피었으면 좋겠다.

올봄에는 친정집에서 벚꽃이 피고 지는 것을 다 볼 수 있었다. 큰오라버니가 돌아가시고 친정집에 2주간 머물게 되면서 호사 아닌 호사를 누렸다. 큰오라버니와 의 추억을 돌이키며 시도 때도 없이 흐르는 눈물은 어쩔 수가 없었다. 간간이 인천에 있는 아이들이 걱정되면서도, 잔잔히 피어나는 야생화를 보며 혼자 있는 이 시간이 귀하기도 하고 사치스럽기도 했다. 봄까치꽃, 꽃마리, 봄맞이꽃, 제비꽃, 냉이꽃…. 엄마가 젖먹이의 이름을 부르며 그 아이와 눈을 마주치듯 꽃들의 이름을 하나하나 불러본다. 한 차례 비가 왔다. 나뭇가지에 작은 점으로 붙어있던 새싹도 제법 연둣빛 잎사귀의 모습을 갖추어 간다. 비 온 뒤의 영롱한 물방울은 잎사귀 끝에서 떨어질 듯 매달려있다. 아직 꽃씨를 날려 보내지 못한 민들레는 물방울 속에 또 하나의 우주를 담아낸다. 함초롬한 풀잎의 여유로운 향기 속에 나는 자유로웠다.

마지막으로 숨고 싶을 때도 나를 불러내는 사람이 있다. 이래저래 만나기 힘들다고 핑계를 대보지만, 나의 여린 마음을 알아챈 모양이다. 대통령 취임과 경선을 앞둔 요즘이다. 정치인들은 경쟁해야 해서 싫고, 책 좋아하고 착한 사람들과 만나고 싶단다. 사실, 나는 책을 많이 읽는 사람도 아니고 착한 사람도 아니다. 만남의 속뜻은 알고 있었지만, 예술인을 소개한다기에 솔깃하지 않을 수 없었다. 만수복지관에서 운동을 마치고 샤워도 못 한 채, 그녀가 원하는 대로 택시를 타고 그곳으로 향했다.

택시를 타면 달리는 차에서 거리를 찍을 수 있다. 만개한 벚꽃은 지나는 곳곳마다 환영한다며 팝콘을 팡팡 터트려준다. 약속한 장소에 도착할 때까지 영상을 찍으며 벚꽃 여행을 즐겼다. 작정하고 여행을 떠난 지가 기억에서 가물거린다. 코로나 이후 이제는 필요할 때 이동하며 순간순간을 즐기는 것이 여행이 되었다. 도착한 곳은 개업한 지 1년이 채 되지 않은 그녀의 카페이다. 산으로 둘러싸여 있어서 공기가 좋은 곳이다. 코로나와는 먼 청정구역 같기도 하다. 개업할 당시 흐트러진 머리에 바싹 마른 입술을 하고는 나를 부른 적이 있다. 이런 꾸밈없는 모습이 그녀와 친해지게 만들었다. 오늘 그녀는 빨간 립스틱에 하얀 블라우스를 입고 있었다. 카페의 가계부를 보며 재고 정리를 하는 듯했다.

″어머, 늦는다더니 일찍 오셨네요?″

″운동이 생각보다 일찍 끝났어요.″

약속된 다른 2인을 기다리는 동안 나는 내 시선에 들어오는 것부터 사진을 찍기 시작했다. 4월은 왠지 노란색이 들어간 꽃들을 찍어내지 않으면 자꾸만 미안해진다. 처음 보는 것 같기도 하고 익숙한 것도 같은 노란 꽃이 화분에 심겨 있다. 요리조리 맘껏 찍고 꽃 이름을 찾아보니 ′양골담초(금작화, 애니시다)′란다. 꽃말은 ′겸손′, ′청초′이다. 청아하게 부는 바람을 타고 살랑거리

126

며 뿜어내는 여리한 레몬 향이 은근슬쩍 매력으로 다가온다. 곧 만날 다른 2인도 이 꽃만큼이나 매력적이었으면 좋겠다.

양골담초를 보고나니 마음이 다소곳해지고 어딘가 겸손해진다. 정시에 도착한 1인은 근처의 음식점 창가 쪽 테이블에 앉아 있었고 아직 따갑지 않은 햇살은 그녀의 투명한 피부를 더욱 맑게 비추었다. 가끔 창 너머로 먼 산을 바라보는 시선은 어떤 말을 먼저 해야 할지 머뭇거린다는 것을 알아차리게 했다. 빨간 립스틱의 그녀가 우리를 소개했다.

"소개할게요. 이쪽은 ㅇㅇㅇ이고요, 이쪽은 ㅇㅇㅇ이에요."

우리는 맞절하듯 인사를 나누고 자리에 앉았다.

"어쩜 피부가 그렇게 좋으세요? 화장 안 하신 거 맞죠?"

(조금 부끄러운 표정으로) "마스크를 하니까 요즘 화장을 잘 안 하게 돼요."

땀으로 달라붙은 머리카락과 붉으락푸르락 봄 단풍 같은 내 얼굴과는 비교할 수 없이 귀티가 나고 매무새가 사뭇 단정했다. 나는 나이를 알고 나서 13살이나 젊은 그녀의 피부가 맑고 투명한 것은 당연하다고 위로하고 있었다. 말씨도 정돈되어 공손함이 몸에서 절로

배어 나온다.

음식이 다 차려질 때쯤 다른 1인을 맞이했다. 첫인상에서 예술인임을 바로 알 수 있었다.

"공예가세요? 아니면 어느 분야의 작가신가요?"

곧 첫 책이 출간될 거란다. 종이 명함이 없는 3인은 서로 연락처를 주고받았다. 이름을 받아 적는 순간에 문학인의 이름이 낯설지 않다는 걸 알게 되었다.

"우리 어디서 뵌 것 같은데요!"

우리는 서로 기억을 더듬어 올라갔다. 서창이동복지관 '디지털 책 쓰기' 과정을 줌(Zoom)수업을 통해 들었던 것이다. 이미 공감대가 있었던 우리는 이야기가 끊임없이 이어졌다. 물 만난 물고기처럼. 어느새 다른 1인의 맑고 투명한 피부는 관심에서 사라져갔다. "조잘조잘, 짹짹짹짹." 이 장면을 영상으로 찍었다면 아주 빠르게 2배속 이상으로 돌아가도록 편집했을 것이다. '책 쓰기'에 관련된 많은 이야기를 커다란 손동작과 함께 빠르게 하고 있었으니까.

이렇게 이어진 소개로 마을과 학교 이야기를 두서없이 주고받으며 3인이 어떤 일을 해나가야 하는지 알아내려고 노력했다. 책을 좋아하고 착한 사람들을 만나고 싶었다던 빨간 립스틱의 그녀는, 경선 이야기를 슬슬 꺼내며 자기편에서 일해 주기를 바랐다. 오래 알고 지

내긴 했지만 달갑지는 않았고, 다른 2인은 어떤 생각을 하고 있는지, 정치색을 가진 사람들인지도 궁금해졌다. 직접적인 이야기는 없었지만 이 대화 내용을 피하고 싶은 기색이 엽렵했다.

　점심 식사가 끝나고 카페로 가서 각자의 취향대로 꽃차를 마셨다. 목련꽃차, 비트차, 국화차를 주문했다. 빨간 립스틱의 그녀는, 주인장답게 주문한 꽃차에 관해 설명을 해주고 약간의 다도를 알려주었다. 나는 비트차를 주문했는데 당뇨에 효능이 있다고 한다. 빨간 립스틱의 그녀는 오늘따라 선홍빛이 예쁘다며 찻잔에 비트차를 따랐다. 그녀의 하얀 블라우스 앞에 놓인 유리 찻잔을, 햇살이 뚫고 지나더니 바닥에 반쯤 투명한 선홍빛의 그림자를 만들어낸다. 이 장면도 스마트폰 카메라에 여러 장 담겼다. 카페 주인장은 차는 눈으로 마시고, 코로 마시고, 입으로 세 번 마시는 거라고 설명을 덧붙인다. 눈으로는 색을, 코로는 향을, 입으로는 맛을 본다는 얘기다.

　곧 작가가 될 1인은 생각 외로 꽃차에 관한 이해는 없어 보였다. 꽃단지의 쓰임새를 알려줄 겸 화분에 심겨 있는 ´양골담초´를 잘라오고는 꽃단지에 꽂았다.

"아, 이런 용도였군요!"

　찻자리꽃을 꽂고 나니 또 다른 분위기가 오묘하다.

곧 작가가 될 1인의 흰색 상의에는 빨간 하트가 새겨져 있었다. 그녀를 배경으로 흐리게 두고 가슴의 붉은 하트 무늬와 입가심으로 만들어내온 적갈색의 아메리카노를 연결하여 중간지점에, 노란색의 ′양골담초′를 가장 앞쪽에 두고 초점을 맞췄다. 화면에서 다시 그 장면을 볼 때는 노란색, 적갈색, 빨간색 순으로 시선이 움직이고 있었다. 제법 오늘의 영상이 될 이야기가 시나브로 만들어졌다.

2인을 먼저 보내고 카페 주인장의 자동차 뒷좌석에 앉은 나는, 그녀가 빨간 립스틱을 바른 이유를 알게 되었다. 빨간 트렌치코트와 아주 잘 어울렸다. 스마트폰 케이스도 빨강이었다. 카페 주인장인 그녀는 자신의 카페에 있던 화분인데도 노란 꽃의 이름을 모르고 있었다. 꽃이니까 그냥 꽃 찻집에 있었던 거였다. 부디 노란 ′양골담초′를 닮아 갔으면 좋겠다. 꽃말처럼 정치인도 ′겸손′은 필수일 테니.

가끔 사람의 진심을 몰라주면 조금은 씁쓸하다. 그럼에도 노란색의 꽃들과 책을 좋아하는 사람들을 만난 것, 인스타그램에 올릴 수 있는 영상을 만들어 낸 것에 의미를 둬야겠다. 이틀이 지난 오늘, 만수복지관에 다시 왔을 때 계단에서 노란 세월호 추모 리본이 떨어진 걸 보았다. ′누가 떨어트렸을까? 마치 내가 주워 가라는 것처럼.' 임자가 나타나면 돌려줘야겠지만, 그전까지는 내 손에서 떠나보내고 싶지 않았다.

집에 돌아오는 길에 노란 민들레를 한 송이 꺾어 책상에 올려놓았다. '너도 생명인데 꺾어서 미안하다.' 속으로 민들레에 사과해본다. 2학년이 됐으니 수학여행을 갈 거라고 고등학교 아들이 신났다. 제주도에 간단다. '배를 타고 가려나?' 인스타그램에 올린 영상 속의 노란 '양골담초'를 계속해서 돌려보며, 다른 손바닥에는 노란 리본의 액세서리를 올려놓고 만지작거렸다.

이번 주말에 친정에 내려가면 노란 '골담초' 위를 덮고 있는 마른 덤불들을 말끔히 거두어내야겠다. 온 동네를 정원 삼아 살아가는 친정어머니. 사부작사부작하시는 말씀을 새겨듣고 따라 하다 보면, 나도 모르게 진실한 삶을 향해 가고 있다. 이 봄, 쪽창으로 보이는 장독대의 노란 '골담초'가, 친정어머니를 향해 환하게 웃고 있으면 얼마나 좋을까!

하얀 운동화

최정임

친정어머니를 센터에 보내고 나는 하얀 운동화를 신고 연못으로 나들이를 했다. 하얀 운동화에 아침이슬이 스며들자 흙물이 배이고 덤불이 달라붙는다. 하얀 소복에 물이 묻으면 이런 모습일까!

아이들 기말고사가 끝나고 친정에 가려고 했다. 갑작스레 동생이 입원했다는 소식과 셋째 오빠가 후두암이라는 말이 전해온다. 비상사태가 와서 2주를 앞당겨 내려갔다. 각자의 자리가 흔들린다. 많이 피곤 했지만 버스 안에서도 잠이 오지 않았다. 내가 내려갈 때마다 마중 나오던 동생이 입원했단다. 버스에서 내려 택시를 타고 시골에 들어갔다. 야밤에 혼자 택시를 타고 시골에 간다는 건 여간 무섭지가 않다.

하루에도 몇 번씩 지나온 얘기를 반복한다. 가장 즐거웠거나 가장 아팠던 이야기가 주를 이룬다. "빨강 치마를 입고 시집을 왔는데, 시집을 와보니 아랫방에 사랑방에 구현이 두 개나 있었단다. 그래서 하얀 소복을 입을 수밖에 없었고, 물동이에 물을 이고 오다가 긴 치마가 밟혀 주저앉는 바람에 물을 홀라당 쏟아 하얀 소복을 다 적시고, 다시 물을 긷느라 걸린 시간이 오래되자 아버지가 어머니의 행적이 궁금하여 찾아와서는, 어머니의 행색을 보고 나무라지 않고 물동이를 받아 갔다는 얘기. 아버지와 보낸 시간도 잠시, 어머니를 두고 군대에 갔다는 얘기. 치매 노모의 힘들었던 기억은 사라지지 않는다.

어린 시절을 뒤돌아보면 자신의 옷을 고를 때도 늘 하얀 옷을 고집했다. 얌전하고 단정하고 긴 소매나 칠부 소매. 짧은 소매는 영 어색해했다. 옷을 여러 벌 살 수 없으니 소복 대신 입을 만한 옷을 갖춰 놓고, 다니러 가야 할 일이 생기면 가야 한다고 늘 말씀하셨다. 이런 성정을 알기에 하얀 운동화도 친정 집 꾸러미에 들어가 있었다. 한동안 딸이 사 준 하얀 운동화를 줄곧 신고 주간어르신재활센터에 다니셨다. 다른 옷이나 신발은 받으실 땐 이쁘다 맘에 든다 하시고 잘 신지 않으시는데 하얀 운동화는 꽤 오래 신으셨다. 요즘에도 종종 신고 다니신다.

시골에서 하얀 옷 관리하기가 여간 힘들지 않다. 요즘도 그런데 소복만 입고 사시던 시절에는 오죽했을까! 냇가에 빨래를 하러 갔는데 농사철이 되어 이웃이 물고를 트는 날엔 도랑에 흙탕물이 내려와 도로 빨래에 배인 적도 있다고 한다. 무슨 일인가 싶어 올려다보면

물꼬를 트고 있었다고. 친정어머니만큼은 아니지만, 가뭄이 와서 집 샘물도 나오지 않아 냇가로 오빠의 하늘색 교복을 빨러 갔던 생각이 난다. 도랑물도 말라서 물잇기가 옷에 달라붙었는데 떨어지지 않았다. 집에 가져와 마당을 가로지르는 빨랫줄에 널다가 오빠에게 이끼가 묻었다고 했더니, 한창 사춘기였던 오빠는 교복을 걷어 마당에 내동댕이쳤다. 다리가 사시나무처럼 떨렸다. 친정어머니는 그 많은 하얀 옷을 빨아내느라 얼마나 고생이셨을까! 빨고 말리고 다리고 하는 일만 해도 하루가 다 가고도 남았을 게다.

며칠 전에는 빨래가 다 마르지 않았는데도 자꾸만 걷어 가시기에 친정어머니와 널고 걷고를 반복하며 몇 번의 실랑이를 했다. 이제야 알게 된 것은 덜 마른 빨래를, 입은 모양처럼 펼쳐놓고 위에 수건을 올린 다음 발로 꼭꼭 밟으면 다리미로 다린 것처럼 펴지고 주름도 잡힌다는 사실이다. 친정어머니는 그런 방법으로 빨래를 말리면서 개키고 있었다. 맞다. 조금 덜 말랐을 때 다려야 잘 펴진다. 인두도 없고, 화로도 없고, 다리미도 없다. 모든 위험한 것들은 죄다 없애고 잠그고 버려졌다. 도구가 없이 친정어머니가 빨래를 잘 말리는 최선의 방법이었던 것이다.

오늘 새벽에는 하얀 옷이 도시락을 층층 쌓아 놓은 것처럼 네모 반듯하게 쌓아 올려져 있다. 아직 덜 마른 상태로. 친정엄마는 커피를 몰래 숨겨 놓고 있다가 저녁에 드실 때도 있다. 커피 먹으면 잠 못 잔다고 핀잔을 줬더니 몰래 드신다. 잠 안 자고 할 일이 많단다. 지난밤 3시경 1회용 커피 두 봉지가 손에 들려져 있는 것을 발견했다. 낮에 자식들 눈치 보느라 못 했던 것을 밤에 몰래 하시고 싶었던 게다. 맘에 들지 않는 옷, 신발 버리고 태우기... 등등. 사다 주니 앞에서는 이쁘다 좋다 해놓고. 치매가 왔어도 부정적인 본인의 생각을 꽁꽁 감추고 싶었던 게다.

둘이서 도란도란 아침식사를 한다. 몇 발자국만 나가면 온 들에 꽃이지만, 그래도 기억을 살리기에는 식탁에 꽃이 있어도 좋다. 고집을 피울 때는 영락없는 5살 같고, 방금 하신 말을 또 할 때는 많이 속상하기도 하지만 익숙해져 간다.

"이게 무슨 꽃이었지?"

"자주 달개비요."

"허허 참. 자주 삐치나 보다 자주 달래게 하하."

친정어머니의 뛰어난 어휘력은 모든 이를 한바탕 웃게 한다.

나이가 들수록 몸은 중고가 되어가지만 마음은 어린 아이처럼 순수해져 간다.

"정님아, 여기 좀 봐라. 저기 혼자 핀 꽃, 요기 잎사귀 뒤에 숨어서 핀 꽃, 이 꽃은 어제는 없었는데 오늘 피었네. 개망초는 다발로 피어 더 예쁘다."

하시는 말씀마다 그냥 시가 된다. 그래 혼자 피면 어떻고, 숨어서 피면 어떻고, 꽃은 피는 때가 있으니 기다리면 될 것이다. 마음을 모아 함께 피면 더 아름다울 것이다. 이제서야 어머니를 알아간다. 내가 그러하기를 바란다.

아침이슬을 걷히며 사뿐사뿐 걷는 하얀 운동화. 이것이 내 발자국이라면 욕심일까? 연못 텃밭의 오이를 따서 꽃 수가 놓인 앞치마 주머니에 담는다. 밀짚모자 사이로 따가운 햇볕이 땀방울을 만든다. 어느 날인가 연못에 놀러 온 아이 엄마를 보고 연신 이쁘다 했던 그 차림이다. 친정어머니도 충분히 아름다웠던 시절이 있었는데, 그 시절이 그리웠을지도 모르겠다. 오랜 기간 소복으로 감춰진 친정어머니의 청춘이 아깝기도 하다. 이제는 같이 늙어가는 처지지만 내 모습을 보고 대리만족이라도 했으면 좋겠다. 밀짚모자와 앞치마를 식탁 한편에 올려놓고 오이냉국을 만든다. 아주 얇게 채 치고 심심하게 소금 간만으로 만든 오이냉국. 친정어머니

가 만들어 주시던 예전 그 맛이었으면 좋겠다. 흙물이
배인 하얀 운동화를 빨아 널고 유치원에서 돌아오는
아이를 기다리듯 친정어머니를 기다린다.

밥만 먹고 살 수는 없다

최정임

온라인 수업, 그리고 방학. 집콕이 일상이 되어버린 요즘 달팽이를 키우며 컴퓨터 앞에서 엉덩이 좀 떼고 살라고 분양받아줬다. 잘 키우는가 싶더니, 달팽이가 반은 죽어 있다. 지난번은 채솟값이 비싸져 사람도 먹기 힘든 상추를 달팽이에게 주고 있길래 "너는 네 자식이 중요하지만 엄마는 내 자식이 더 중요하다."라는 말 같지도 않은 말? 말 되는 말? 이런 걸 한 적이 있다. 큰아들은 밥상에 올리려 씻어 놓은 상추를 달팽이에게 갖다 준다. 말이 되는 얘기인가? 아이러니. 이렇게 애지중지 키우던 달팽이를 반은 죽이고 말다니. 그동안 나는, 상추만 주면 크는 게 아니다 흙도 갈아주고 물도 뿌려주고 샤워도 시켜주고 바람도 쐬주고 달팽이가 좋아하는 환경을 만들어 줘야 한다고 누누이 말하고 스스로 보살피기를 바랐다.

그런데 내가 아들에게 관심이 멈춘 만큼 아들도 달팽이한테 관심이 멈춘 듯하다. 다시 컴퓨터 앞에서 엉덩이가 무거워졌다. 이것 또한 내가 하는 짓과 똑 닮았다. 무언가 해 보자고 2020년에 세웠던 계획들이 코로나 19에도 아랑곳하지 않고 둔감해져 갔다. 경제가 긴축된 상황에서 고민하는 나로 인해 둔감해져 가는 것들이 늘어만 간다. TV에서 실시간으로 코로나 숫자를 방송하며 공포감을 조성해도 숫자는 숫자일 뿐, 현재 바이러스 전쟁에서 살아남아 있다는 기쁨도 없다. 원래 하던 집콕생활이니 답답할 이유도 없고 오히려 밖을 나가려면 마스크를 써야 하고 안경에 김 서림으로 집에 있는 것보다 이중으로 답답할 뿐이다. 운동 부족으로 몸이 굳어가는 위험도 있긴 하지만.

아이들에게 밥만 준다고 살아지는 게 아니다. 사람이 어찌 밥만 먹고 사냐고 남편에게 푸념했던 대목이기도 하다. 그것이 달팽이한테까지 영향을 미치고 말았다.

"밥은 먹어야 살지만 밥만 먹고는 살 수 없는 일이다."

그래도 우리 식구들은 반찬이라도 골고루 먹었지. 달팽이는 상추만 먹었다. 정말로 근 두 달간은 뚜껑 한 번 안 열어봤다. 해넘이를 하면서 급격히 더 고민에 쌓이고 아파진 내 몸. 가장 약한 생명에게 고스란히 전달되었다. 오늘 다시 달팽이 키우는 법을 찾아본다.

사람이 그립다가도 사람 만나기가 힘들어지기도 한다. 집콕생활에 익숙해져 이대로 안주하려 한다. 코로나가 "너는 내가 무섭지도 않니?" 하며 화낼 것만 같다. 오늘 아들이 중학교를 졸업했다. 학교도 가지 않는 졸업식을 맞고 보니 머리 뚜껑이 열렸다. 당연한 듯 컴퓨터 앞에서 대기하고 있는 아들의 변함없는 일상에 화가 치민다. 애먼 달팽이에게 화풀이라도 하고 싶었던지 뚜껑을 열어젖혔다. 움직이지 않는 달팽이를 나무젓가락으로 꺼내 본다. 죽은 달팽이가 수없이 나왔다. 마치 내 죽은 세포들이 널려있는 것 같았다. 썩은 냄새가 진동했다. 내 머리를 지독하게 아프게 했던 냄새 같기도 했다. 거꾸로, 이 작은 생명 때문에 고민하고 있었을 거라 착각하게도 했다. 사실 지금은 작다 해도 식용 달팽이라 환경만 갖춰지면 거대하게 자랄 수도 있는 생명이다.

달팽이는 어떤 이유로 죽어갔을까! 한 가지 음식만 먹는 게 너무 힘들었을 수도 있고, 흙에 오염물이 있어서 그럴 수도 있고, 공기가 탁해서 그럴 수도 있고, 비 오는 날을 좋아하는 애네들이 샤워 한번 못해서 그럴 수도 있고, 제일로는 시선이 사라졌기 때문이 아닐까! 서서히 죽음에 이르게 하는 투명인간 취급당하는 기분처럼. 이건 생명에게 못 할 짓이다. 우리 외롭다고 그 외로움 달래주는 대가로 고무통에 갇혀서 상추 한 장 뜯고 있다. 우리는 가지고 놀 때만 예뻐하고 달팽이에겐 아무런 관심을 주지 않았다.

살아 있는 것은 모두가 생명이다. 약하다고 함부로 대할 것이 아니다. 생명은 책임이다. 그리고 이것 또한 부모의 몫이다.

싸리비 쓰는 소리

최정임

1

아파트에서도 싸리비 소리가 들린다. 여기는 8층. 싸리비 소리가 올라온다. 서걱서걱 쓰라름. 싸리비가 다 닳았나 보다. 서걱서걱 소리가 반복되고 가끔 쓰라름 쓰라름 매미 우는소리처럼 들릴 때도 있다. 분명 경비 아저씨 일게다. 경비 아저씨는 청소하러 오신 분은 아닐 테지만, 매일 비질을 하신다. 그리고 우리 주민들은 그것을 당연히 해야 하는 일로 여긴다. 가을이 오면 낙엽을 쓸 것이고 겨울이 오면 눈을 쓸 것이다. 그래도 우리는 원래 그렇게 하는 건 줄 알고 지낸다. 고맙다고 인사 한번 하지 않는다.

친정어머니도 치매가 오기 전까지는 아파트 청소를 하러 다니셨다. 그때의 기억에서 멈춘 듯하다. 매일같이 새벽이면 싸리비로 마당을 쓸기 시작해서 가을이 오면 나뭇잎이 한꺼번에 떨어지길 바라신다. 싸리비가 사방에 놓여 있다. 바깥마당에도 연못에도 옆집에도 닭장에도 쓸고 난 흔적을 남겨두신다. 자식들은 아파트 경비 아저씨의 싸리비 소리처럼 아무런 고마움도 모르고 당연한 듯 살았으리라. 저리도 무심히 습관적으로 매일 비질을 해대는 걸 보면. 지난번 친정에 갔을 때는 너무 많이 일하면 또 아프고 자식들 힘들게 한다고 엄포도 하고 잔소리도 하고 내려왔다. 왜 또 그랬을까 후회스럽다.

경비 아저씨 옆에 내 싸리비를 곁들이고 싶다. 친정 어머니를 보듯 같이 싸리비로 마당을 쓸며 마주하고 싶다. 내일 아침에도 싸리비 소리가 들릴 때면 맨발로 달려나가 고맙다고 인사를 나누고 싶다.

2

무엇에 정신이 홀렸는지, 허한 마음을 채우기 위해 바쁜 나날을 보내고 있다. 더 싸리비 쓰는 소리도 들리지 않았다. 경비아저씨가 궁금해졌다. 새 경비아저씨가 오셨다. 어디가 아프신 걸까! 다른 곳으로 가신 걸까! 친정어머니의 얼굴과 겹치면서 여러 가지 생각들이 스쳐 간다. 지난번 뉴스에서 아파트 주민의 폭력에 의해 끝내는 자살을 한 경비아저씨 사건이 생각나기도 한다. 인사를 미루는 것이 아니었는데, 감사의 마음은 지금 바로 표현하는 것이라는 걸 깨닫는 순간이다.

친정엄마를 아파트로 모시고 싶기도 했다. 그런데 그나마 시골이 낫지 싶다. 어제저녁 동네 이웃으로부터 전화 한 통화가 왔다. 근 1시간을 통화했다. 폐암 말기 시어머니를 석 달간 모시고 시골로 다시 보낸 사연이다. 그러니까 사고가 있었단다. 병원 다녀오는 길에 에스컬레이터에서 넘어지려는 시어머니를 붙들다가 며느리가 대굴대굴 굴렀단다. 온몸이 멍투성이에 손등도 까져서 고무장갑 끼고 머리를 감았단다. 그렇게도 사이좋았던 사이가 석 달 만에 와르르 무너지는 순간이다. 신랑과의 사이까지도 서먹해졌단다.

이런 등등의 사연들이 친정어머니를 지금처럼 두는 게 당연한 듯 시간을 흘려보낸다. 내리사랑이라고 했던가! 내 자식들 앞에서 친정어머니를 떠올려 보기란 도덕경을 다 읽어도 행하기 힘들 게다. 내가 꿈꾸던 고향의 풍경과 너무 달라져서 되돌아가기엔 가슴이 먹먹하기만 하다. 치매 어머니, 이웃 술 주정뱅이, 홀로 외로움을 견디는 사람들이 외면하고픈 현실에 맞서듯 너울춤을 추고 있는 그곳. 그래도 언젠가는 그곳에 가야겠다. 바깥마당과 연못을 한 철만 살고 갈 매미처럼 쓰라름 거리며, 싸리비로 쓸고 또 쓸고 있을 내 모습 일지라도.

아름다운 절경만큼이나 수많은 사연. 연못에 오가는 사람들의 사연을, 내 마음의 강물이 어느 세월에 다 풀어 흘려보낼 수 있을까만은 내게 그곳은 여전히 그리움의 원천이다. 내 어릴 적 형제들과의 추억이 있고 어머니가 계신 고향이다.

우산

최정임

1. 구멍 난 우산과 투명우산 세 개

구름 사이로 가느다란 햇살도 보이고 날씨가 맑아지고 있다. 우산을 가져갈까 말까 망설이다가 가방의 무게를 덜기 위해 꺼내놓았다. 새벽에 한차례 비가 내렸나 보다. 아파트 담장을 에워싼 나뭇가지의 거미줄에 빗방울이 흔적을 남긴다. 퇴근 무렵 다시 비가 내린다. 코로나 19로 인한 재난지원금 행정보조 기간제로 일하게 되었다. 직원 한 분이 우산이 없다고 남는 우산을 찾는다. 이럴 때 남자친구라도 있으면 좋으련만. 그런 걸 아직 안 키우나 보다. 대학 시절에 비 오는 날 뜬금없이 나를 찾아온 사내가 있었다. 누가 날 찾아왔다기에 누굴까 궁금하기도 하고 이런 일은 처음이라서 설레기도 했다. 우산을 보고 실망하다 못해 부끄럽기까지 했다. 치욕스런 우산. 살이 나가고 구멍까지 난 우산을 들고 있었다. 살짝 부는 바람에도 천 리 밖으로 날아갈 것만 같았다. 하지만 내 맘과는 달리 그 낡은 우산을 쓰고 말았다.

며칠 전에도 비가 왔다. 새 일을 시작한 첫날이었다. 작은아들에게 우산을 가지고 마중하러 와 달라고 해봤다. 마중 온단다. 다 낡은 우산. 살은 나갔지만 다행히 구멍은 나지 않았다. 엄마가 이 우산을 쓰고 다니는 걸 기억해 주니 고맙다. 선물 받은 우산이라 살이 나갔어도 버리지 못하고 귀퉁이에 놓은 것을 집어 온 모양이다. 그래도 아들이 엄마를 마중 나온 건 처음이라 연신 웃음이 나왔다. 훌쩍 커버린 아들의 키만큼 얼굴을 올려다보며 팔짱을 끼고 집을 향했다.

나 재미 들었나 보다. 오늘도 아들에게 마중을 나오라 했다. 투명 비닐우산을 쪼르르 들고 온 아이들. 지난번에는 작은아들만 왔는데 이번엔 두 녀석이 같이 왔다. 비가 그쳤는데도 왔다. 혹시 안 온다고 할까 봐 저녁을 사주겠다고 해서 그런지도 모르겠다. 뭐 그래도 투명 비닐우산 세 개를 들고 엄마를 기다리는 두 녀석 이쁘다. 부대찌개를 먹으러 가자고 한다. 먹는 것만 봐도 배가 부르다더니 정말 그렇다. 사진 좀 찍어 놓을 걸, 찍어 놓은 사진이 없어 아쉽다. 마스크를 벗고 살짝살짝 보여주는 입가의 미소가 귀엽고 귀하기만 하다.

2. 아름다운 소비

일터에서 아침에 가자마자 점심으로 뭘 먹을지 이야기부터 시작한다. 동료들과 이런 고민을 해 보기도 참 오랜만이다. 젊은 친구들과 색다른 고민. 재미있고 신선하다. 분식집에 가기로 했다. 계산대 앞 확성기가 눈앞을 꽉 채운다. 집안에 작은 물건 하나만 바꿔도 기분이 좋아진다. ´아름다운 소비´ 하나 실천해 볼까 망설인다. 내일은 큰아들이 학교엘 간다. 학교에 가뭄에 콩 나듯이 가고 있으니, 학교 가는 일이 반갑기만 하다. 엄마 없는 시간 혼밥하고 있을 작은 아들. 요즘 컨트리 음악을 즐기는데, 딱 좋을 것 같다. 비 오는 날 운치 있게 커피 한잔에 창문을 바라보며 이 확성기로 음악을 듣고 싶다. 요즘 작은아들과 같이 즐기는 음악이 있다. 영화 《보헤미안 랩소디》에서 나온 음악들이다. 작은아들과 이 영화를 같이 보고 나서 엄마와 아들을 연결해 주는 음악이 되었다. 아들과 이어폰을 한쪽씩 나누어 끼고 듣는 것도 참 재밌다.

3. 우산으로 보는 마음 살피기

일터의 한 친구가 우산을 펼쳐놓았기에 다른 우산도 펼쳐놓았다. 앞에 양산 겸 우산은 내 것(아줌마 것)이다. 지금의 친구들처럼 일하면서 우산을 펼쳐 말리던 시절이 떠오른다. 이런 회상이 잦은 걸 보니 늙어가는 기분이다. 우산에서 친구들의 성향이 보인다. 진한 핑크빛 우산 속 친구는 실제로 성격이 매우 밝다. 뭐하나 숨기는 것도 없고 직장인지, 학교인지, 집인지 구분하지 않고 아주 솔직하다. 가끔 치마를 입어주면 가느다란 허리선 덕에 청순미도 보인다. 흰색 바탕에 물방울 무늬 우산 속 친구는 두루두루 잘 살필 줄 안다. 나이 먹은 언니부터 동생까지 아우르며 일하는데 상냥하게 도움을 준다. 어찌 보면 반장감이다. 검정 우산 속 친구는 아주 시크하면서도 매력적이다. 아름다운 얼굴과 몸매가 부럽기까지 하다. 나도 저 나이 때 그랬는데 하면서 말이다. 내향적이어서 빨리 친해지기는 어렵지만, 친하고 나면 그의 매력에 푹 빠질 것이다. 세 명의 젊은 친구 중에 이 친구만 남자친구가 있다. 자잘한 꽃무늬 우산은 내 우산이다. 나이를 먹어 갈수록 자잘한 꽃이 좋아진다. 풀꽃이나 들꽃 같은 프레시한 향기가 나는 꽃들이 좋다. 양산과 우산을 겸한, 연중 반은 가지고 다니는 3단 우산이다.

점심 후 우산 속 친구들은 잠시 연애담을 이야기하며 즐기고 있다. 다음에 있을 소개팅도 흥미진진하다. 20대에 이런 걸 해 보지 못하고 지나간 세월이 아쉽다. 나도 잠시, 아름답게 꾸미고 소개팅에 나갈 그녀를 상상하며 즐겨본다. 웨이브 머리에 원피스를 입고 뾰족구두 신은 모습. 평소 화장기 없는 얼굴이지만 마스크에 가려질지도 모르지만 그래도 예쁘게 꾸며보라고 말하고 싶다. 20대에 못 하면 언제 하리 하면서.

4. 지인의 화실에서 우산을 말리며

지인의 화실이다. 아는 동생이 이곳에서 가죽공예를 배운다기에 보고 싶어 찾아갔다. 주인장이 "언니, 우산 펴서 말려도 돼요." 이 소리가 어찌나 반갑던지 마음이 포근해지고 따뜻해진다. 우산을 말릴 수 있는 공간이 주어지는 곳. 이런 따뜻한 공간이 우리에게 필요할 때이다. 이 따뜻한 말 한마디가 온몸의 긴장을 풀어준다. 바닐라 아이스크림이 내 혀끝에서 녹아내리듯 부드럽게 건네오는 예쁜 말씨. 비에 젖은 우산을 펴서 말릴 수 있는 곳. 이런 따뜻한 공간이 우리 동네에 여러 곳 있으면 좋겠다. 아니, 내가 그렇게 만들고 싶다.

비가 내리는 날 내 우산 속에서 쉬어갈 수 있는 마음의 공간을 조금씩 넓혀가고 싶다.

우리 아파트에서 오랫동안 같이 살며 정을 나누던 동생이 이사를 한단다. 하나둘 동네를 떠나가는 사람들이 아쉽기도 하고 가서 잘 살아라 마지막 정을 쌓고 싶었다. 지인의 화실에서 같은 지갑을 만들며 아이들 이야기부터 이사를 하는 사연 등 이런저런 이야기를 나누었다. 아이들이 성장하고 남녀를 구별해야 하는 나이가 왔단다. 방을 나눠줘야 한단다. 우리 집은 연년생 아이들은 한방을 쓴다. 아직은 조금 불편해도 참으며 살아야 한다. 이날도 비가 왔다. 올해는 유난히도 장마가 길다. 검정 바탕에 하늘색 물방울무늬 우산을 쓰고 갔다. 자동으로 펴지는 튼튼한 우산이다. 비바람이 심하고 손에 물건을 많이 들어야 하는 날 가지고 다닌다.

5. 검정 바탕에 하늘색 물방울무늬 우산

추석 연휴의 마지막 날이다. 어디 간 곳도 없고 한 일도 없는데 너무도 빨리 지나갔다. 우리 집 남자 셋을 밖으로 몰아내고는 차근차근 10월을 어찌 보낼지 생각해본다. 당장 내일부터 일하러 가야하고 큰아들은 학교에 가야 한다. 집에서 오래 머물다 보니 아이들은 허벅지 살이 터지도록 살이 찌고 말았다. 교복도 맞지 않는다. 한 학기만 공부하면 졸업이다. 교복을 새로 사기도 그렇다. 또 며칠이나 학교에 갈까. 우리 집 남자 셋이 할머니 댁을 들러 산책을 마치고 집에 돌아왔다. 미용실에 다녀와야겠다. 세찬 바람과 함께 빗줄기가 한두 방울 떨어진다. 아파트 1층에서 아들에게 우산 좀 가지고 내려와 달라고 전화했다. 검정 바탕에 하늘색 물방울무늬가 있는 우산을 가지고 내려왔다. 요즘 내가 이 우산을 쓰고 다니는 건 또 어찌 알았는지.

엄마는 알람시계

최정임

가족의 알람시계에 맞춰 살아야 하는 나는,
또 다른 알람시계라는 생각이 든다.
나를 위한 알람시계가 간절하다.

1. 정말이지 왜 이렇게 일찍 잠이 깨지나요!

새벽 5시가 조금 넘었다. 이 시간에 깨어 있는 서로 이웃 이웃님들의 반가운 글이 올라왔다. 나만 새벽잠이 없는 게 아니구나! 안심. 사실 나는 새벽잠이 없다기보다 나이를 먹을수록 체력 저하로 저녁에 일찍 자다 보니 아침에 일찍 깨지는 거였다. 눈을 말똥말똥 뜨고 있지만 다른 가족들이 깰까 봐 조용조용 블로그를 보고 있다. 내 블로그도 점검하고 오늘은 블로그 모멘트로 두 번째 영상을 만들어 보았다. 타이밍 조절을 잘 못해서 좀 어색하다. 등록한 후에도 다시 편집할 수 있었으면 좋겠다는 생각.

6시 30분 남편의 알람 소리가 들린다. 참았던 화장실을 다녀온다. 불도 켜지 않고 나갈 채비하는 남편. 애들 피곤하다고 불 켜지 말란다. 내가 보기엔 요즘 애들이 제일 편하게 생활하는 거 같은데. 애들한테 나쁜 버릇 들이고 있는 건 아닌지. 차츰 일찍 자고 일찍 일어나길 기대해 본다. 밖에 나가는 남편에게 손 소독제 바르고 마스크를 쓰고 나가라고, 엘리베이터가 제일 위험하다고 잔소리해본다. -사회적 거리두기-

2. 초간단 아침 메뉴와 사진

8시 큰아들 알람 소리가 들린다. 출석 체크는 했냐고 묻는다. 7시부터 9시 사이에 하면 된단다. 식빵을 구워 상추 한 장 깔고 계란프라이 올려 아들에게 디밀어 본다. 자는 게 더 좋단다. 이쪽저쪽 오가며 아이들을 깨워본다. 코를 쥐었다 났다 했더니 숨이 찬지 잠시 얼굴을 찡그린다. 이런 모습도 참 오랜만이다. 귀엽기도 하다. 불 안 켜고 계란프라이 했는데 모양 나쁘지 않다. 이런 걸 감으로 한다고 하나 보다. 찍은 사진이 좀 컴컴하다. 보정 기능이 있긴 하지만 있는 그대로 보여줄 필요가 있을 때는 사용하지 않는다. 요즘 카메라 성능이 좋은 스마트폰 광고 중에 항상 선명하고 쨍한 사진을 찍을 수 있다며 강조하는 부분이 있다. 디지털 시대에 이런 것쯤이야 충분히 조절할 수 있지만, 어두우면 어두운 데로 밝으면 밝은 데로 보여주는 자연광이면 안 되나? 있는 그대로 보여주면 안 되나? 하는 의문을 갖는다. 우리 눈에 보기 편한 상태로의 평균값을 보여 줘야 하고 그것이 삶에도 적용된다는 것이 사진을 배우는 사람으로서 아쉽기도 하다.

심혈을 기울여 잘 찍어야 할 때도 있지만 그 시간이 아이들에게 방해가 된다면 최대한 빠른 촉으로 찍어내고 덜 찍는 것이 나의 원칙이다. 우선순위는 바로 대상 그 자체이다. 그러려면 일상의 포인트만 순간을 잡아내야 하는데 이 또한 즐기지 못하면 재미없으니, 욕심은 부리지 않기로 했다. 항온, 항습에 이어 빛의 밝기 즉, 사진 밝기의 평균이라니 우리 몸은 너무 편한 것에만 익숙해져 가는 게 아닌가 싶다. 물론, 모든 사진이 그렇다는 것은 아니다.

3. 학교에서 깨우고 집에서 깨우고

앗! 작은아들 담임선생님 전화 오심. 9시까지도 출석 체크를 안 했나 보다. 정말이지 아침잠이 엄청 많다. 학교도 가까워 다행이지 매일 5분 남겨놓고 달려갔었다. 지금 못 깨운 거 변명하고 있나! 아이들 일어나길 바라며 기다리다 책상 위에 놓인 위생품을 찍어본다. 지인이 아기를 낳았다. 터울이 좀 있어 아기 키우는 요령을 잊지 않았나 맘속으로 오지랖이다. 그냥 항균 티슈만 들어 있고 끓인 물이나 소독제를 그때그때 넣어서 사용하는 거다. 서랍장을 정리하다 발견했다. 미술 재료로 사용하기도 좋다. 파스텔 작업 후, 연필화 작업 후 문질러줘야 할 때 쉽게 쓸 수 있다. 연년생 아이들이 키우기 수월할지, 터울 있는 아이가 수월할지는 당사자에게 얘기를 들어봐야 알 것이다. 부디 새록새록 건강하게 잘 자라주길.

언제쯤 나만의 알람시계를 켜고 살 수 있을까! 미루지 말고 잠시라도 나를 위한 알람시계를 맞춰보자.

작가의 말

| 조성희

글을 쓸 것이라고 생각했습니다. '지금 당장'이 아닌 '언젠가는' 미래의 작가의 모습만 머릿속에 그렸습니다. 아름답고 감동적인 글, 구성과 스토리가 매혹적인 글, 재미있는 글을 쓴다는 것은 매우 신비로운 성안으로 들어가는 일로 여겨졌으니까요.

밥을 먹고 살고, 글을 보며 숨 쉬었습니다. 이제 한 걸음 더 나아가 글을 쓰면서 나 자신, 타인과의 대화를 시도해 보겠습니다.

마감일 임박해서 밤늦도록 한 자 한 자 써 내려가는 맛으로, 생생한 감각으로 촘촘하게 쓰겠습니다.

| 최정임

 일상이 '마음을 기울이게 할 때'마다 글을 쓰고 사진을 찍었습니다. 출판의 기회가 올 날을 기다리기도 했습니다. 인천광역시교육청중앙도서관 '출판창작소' 프로그램은 저에게 아주 큰 행운이었습니다.

 책 제목은 시 <연잎밥>의 부분입니다. 남편을 생각하면 '빵' 터지고, 고향 친구를 생각하면 '애절한' 중의적 의미를 지니고 있습니다. 조성희 작가님과 함께 책 제목을 짓는 순간도 너무나 행복했습니다.

 종이 책을 낸다는 것, 나무에 미치는 영향도 생각해 봅니다. 아름다운 지구한테도 반쯤은 미안한 생각이 들어 사과 먼저하고 시작하겠습니다.

그렇게 소중하기에

.
.
.

우리는,
일 년에 한 번만
보고 삽니다

최정임 시〈연잎밥〉중에서

그림·조성희